易の話

『易経』と中国人の思考

金谷　治

学術文庫版へのまえがき

古く「現代新書」で書いたものが、今度「学術文庫」の一冊に加えられて、新しい読者に見《まみ》えることになったのは、やはり嬉しい。往年の作として恥ずかしく思う所もあれば、またいささかの自負を固めてくれる所もあるからである。

この書はもちろん一般向きに平易に書かれている。しかし、学術的な水準はしっかり押さえている。神秘的なうらない（占筮《せんぜい》）の書としての面と、論理的な思想哲学（義理）の書としての面と、この二つの顔が重なって、「易」の書は元来むずかしい不可解な対象である。その全体をまるごと捉えて、長い歴史をつらぬいて中国の人々のバックボーンともなってきた中国哲学の真髄を、明らかにしたのである。

十分に満足とまではいかないがこの書は中国でも評判がよく、大陸でも台湾でも翻訳が出版されている（于時化訳『易的占筮与義理』、山東・林順隆訳『漫遊易経世界』台北)。友人に聞いてみると、やはり二つの顔を公正に客観的に解説したものは中国でも少ない。とりわけうらないを重くみると、神秘的な迷信世界に落ち込んでまともに読めないものになってしまう、ということだ。

いうまでもなく、うらないは「易」だけではない。天地の広大に比べてあまりにも微小で無力な人間にとって、運命との対決は避けられない。運命を乗り越えて天人合一の境地に安らぐのが聖人であるが、運命を予知してその圧迫から逃れようとするのが凡人で、それを可能にしてくれるのがうらないである。「易」はうらないの王様であるが、しかし、主眼は天人合一の安住である。儒学の経典としての尊厳な顔であった。本書ではもっとうらないの神秘に入るべきであったという反省もあるが、それを抑えたためにすっきりした解説になったともいえるだろう。

近年の学術的な問題としては、出土資料の新しい発見がある。「易」に関していえば、一九七三年に湖北省長沙の馬王堆《まおうたい》から出土した「帛書周易《はくしょ》」が有名である。そこでは、「易」の外にも「帛書老子」甲本・乙本や「春秋事語」「戦国従横家書」その他の佚書《いつしょ》なども含まれていて学界を騒がせたが、資料の整理は遅れて『馬王堆漢墓帛書周易』として完整な出版をみたのは、二十年後の一九九二年五月のことであった。それによると、この『周易』は「六十四卦」一篇（全体の卦名と卦辞、爻辞とを、現行本と違った排列で整理したもの）と、「易伝」六篇（「繫辞」のほか未知の佚篇五篇）とを合わせた七篇で構成されている。研究はそれぞれに進められて、とくに「要《よう》（かなめ）」篇という未知の資料が重視されている。

ただ、全体として現行本との間で基本的な違いといったものはないから、本書に帛書資料が含まれていないことも、これはこれでよかろうと考える。『易の話』として、伝統的基本的な解説は「易の全体はこれでほぼ説き終えた」と、「原本あとがき」で述べたとおりで、今も変わらない。「学術文庫」の一冊としてさらに広く読まれ、中国的思考の原点を新出土資料などの活用とあいまって、「易」の世界の新しい局面がまた開けていくようにと期待したい。

二〇〇三年六月

伊山住人　金谷《かなや》　治《おさむ》

目次

学術文庫版へのまえがき……3
はじめに――占筮と義理……13
I――易の構成……29
一――八卦と六十四卦……30
二――うらないのことば・「卦辞」と「爻辞」……45
三――「経」と「伝」……54

II——うらないとしての易……69
一——占筮の方法……70
二——亀卜と占筮……91
三——中国の知識人と占筮……101
III——『易経』の成立まで……115
一——伝説……116
二——「卦辞」と「爻辞」の成立……124
三——「十翼」の成立……133
a——「彖伝」と「小象」
b——「繫辞」と「文言」

c——「大象」その他
四——「易」という名称……151
IV——思想としての易……157
一——経典としての確立……158
二——老荘との関係・王弼の易……173
三——宋代哲学の精華・程伊川の易……186
V——易と中国人の考え方……201
一——対立と総合……202
二——変易と循環……234

三——天人合一の思想……252
付録1——『易経』名言集……272
付録2——うらないのことば・六十四卦……280
原本あとがき……292

易の話

『易経』と中国人の思考

はじめに――占筮と義理

『易』は二つの顔を持つ

『易経』つまり『易』はうらないの書物である。易といえば、すぐに連想されるのは、あの八卦のもようの幕を垂れた大道易者の姿であろうか。「易は当たりますか」と、私もまたたずねられる。「当たるも八卦、当たらぬも八卦」というのが、無責任なその答えである。そう、『易』は、うらないの書物として、まさしく今日にも生きている。

しかし、『易』はまた思想の書、哲学の書でもある。このほうは、前のうらないの書物としての性格に比べて、一般にはあまり知られてはいない。けれども、『易』は、いわゆる五経の一つとして、とりわけてその筆頭として、儒教の重要な経典の一つであった。しかも、それらの経典のなかでも最も深遠な哲学を持つものとされてきた。それだけに中国の哲学の歴史は、『易』の解釈をめぐって展開されることが多かった。そこに見られる思想は、長いあいだにわたって中国の人びとの共感をよんできたが、それは彼らのものの考え方の一面を最も典型的に表現したものであったからである。中国思想の性格を考えるにも、またその歴史を語るにも、『易』

はまことに重要な書物である。

『易』のこうした二つの性格は、伝統的なことばに従うと、「占筮《せんぜい》」と「義理《ぎり》」ということばで言いあらわされてきた。

「占筮」の占はもちろんうらないのこと、筮は筮竹の筮で、うらないに用いるめどぎ（蓍）であるが、まためどぎを用いるうらないそのものでもある。つまり「占筮」ということばは、『易』のうらないそのものをさすことばである。「義理」の方は、私たちがふつうに使う「義理人情」とか「浮き世の義理」といった意味でのそれではない。そういう使い方は、近松の浄瑠璃や西鶴の小説によって日本の庶民のあいだに普及したもので、もとの意味はもっと哲学的である。義は意義とか意味のこと、理は道理とか原理のことで、つまり「義理」とは、ものごとのことわけ、すじみち、原理のことである。だから、朱子学のような儒教哲学を「義理の学」ともよぶ。『易』を「義理の書」とみることは、それを思想の書として認めることである。

占筮すなわちうらないの書物としての『易』は、そのうらない（Divination）

ということの本質として、当然にも神秘（Divine）にかかわるものである。筮という字が神と人との仲だちをする巫《みこ》に関係した文字であることも、それを物語っている。人間が一つの判断に迷って、人間以上の力にたよってそれを解決しようとするのがうらないであるから、そこには人間をこえた一つの力に対する信仰が要請されるであろう。しかし、義理すなわち思想の書物としてみられた『易』は、そこに書かれたことの解釈と吟味をとおして、現実の世界の意味を考えるという、人間的な理性のはたらきの対象である。人間をこえた神秘にかかわる性格と、人間的な理性にかかわる性格と、『易』はこの二つの顔をそなえている。そして、その二つの顔は、けっして一つに重なり合うことはないけれども、実は微妙につながっている。易の面白さは、実はそこにあるといってよかろう。

中心は人間の生き方

考えてみれば、易のうらないも易の哲学も、その関心の中心はこの人生の生き方にある。それぞれが別個のものを求めているのではない。だから、占筮は、義理の書としての『易』の性格に助けられて、合理的な説明づけを与えられることになる。占筮は神秘への傾斜を深めるよりは、むしろそれをひきとめて、より合理的な解釈へと向かうのである。少なくとも、うらなう当事者にとって、そのように意識される。易のうらないが、他のもろもろのうらない、たとえば人相、家相、地相といったものや、まじないの類に比べて、より高級なものと考えられてきたのは、そのためであった。反対に、易の哲学の方もまたそうである。それは、その背後に占筮という神秘的な技術をそなえ、それによって一定の実効をもたらすことによって、深遠なものとなり、人生哲学としての深い妙味を持つものと意識された。

まことに、奇妙な混合ではある。だからこそ、易の解釈は、長い歴史を通じて、占筮と義理とのあいだをゆれ動いてきた。合理主義的な易学者は、占筮の方を否定はしないまでも極度に軽視して、『易』は、うらないとは別に、熟読玩味《がんみ》することによってその真意を把握すべきものだと考えた。北宋の程伊川《ていいせん》（一〇三三―一一〇七。『易伝』一〇九九年序）などはその代表である。しかし、程伊川の考えは、ほどなく南宋の朱子（一一三〇―一二〇〇）によって訂正される。『易』はもともとうらないの書物であったからには、その点を無視して解釈することは許されない、という立場である。この朱子の解釈（『周易本義』）によって、占筮の書としての性格は、また強められた。純粋な占筮家は、『易』をうらないの書物としてのみ、認めようとする。

しかし、事実としては、義理と占筮との両面を兼ねそなえているというのが、今日に伝わった『易』の内容である。発生の順序からいえば、もちろん素朴な神秘的なうらないの方が前であった。人間の知恵が発達するにつれて、そこに合理的な解釈が付け加えられ、やがて一つの哲学を構成するまでになった、というのが真相である。そのことも、いずれ詳しく述べるつもりであるが、大切なのは、今日までの長いあいだを一つのまとまりとして伝承されてきた書物の、その全体としての性格であろう。

平時のうらない・非常時のうらない

事実、『易』の「繫辞伝《けいじでん》」のなかには、次のようなことばがある。

君子すなわち理想的な紳士は、平生の何事もないときには、易の卦のシンボリックな意味を考えて、そこにしるされている文辞を玩味《がんみ》する。しかし事が起こった場合は、易の変化をさぐり当ててそのうらないの結果を玩味する。*1

文辞を玩味するのとうらないを玩味するのと、それは、いうまでもなく、義理と占筮とを意味している。『易』の用い方として、かなり古くからこの二つのあったことがわかる。

大事件が起こって決断しかねるときには占筮にたよる。しかし平生には『易』の文章を玩味して人生の意味を考え、われとわが身のあり方を考える。それが理想的な態度だと考えられたのであった。

この考え方は、現代の人びとにもある程度は納得されるであろう。うらないというものについてどのような態度をとるかは、人によってさまざまであるに違いないが、この考え方では、そのうらないを残しながらも、それはむしろ非常の場合のこととして、一般的には人間的な思索を強調しているからである。現代の人びと、とりわけて知識人にとって、易のうらないを無条件に信じるというのは、やはり抵抗のあることであろう。

ここで、「善《よ》く易を為《おさ》むる者はうらなわず」という『荀子《じゅんし》』のことばをあげておこう。十分に易の学習をし遂げた人は、もはや占筮をすることがない、つまり、蓍をとって卦を画《かく》するという神秘的な技術を行なわなくてもそれと同じ効果が期待できる、というのである。もちろん、それは、占筮の経験を十分に積みあげて、いろいろの場合に応ずる易の解答を熟知した結果のことではあろう。しかし、うらなわないでもわかるというのは、直接『易』の書物に向かってそこから現実的な意味をくみとることができるということで、要するに、『易』を義理の書とみなしたものである。合理主義的な知識人の好みには適合する考え方であろう。『荀子』のいうことは、そこまでの極意に達するのは容易でないとしても、ある程度までは私たちにも実践可能である。『易』の全体の構成がわかって、それぞれの卦の意味を理解し、それに自分のその時のおかれている状況を当てはめて考えると、うらなわないでもわかるということが、ある程度まではできる。この方法はいわば「自力」のいき方である。

仏教の方で、「自力」と「他力」ということがあるのは、ひろく知られている。浄土宗でのように、われをすてて阿弥陀仏のはからいで救われるという「他力」と、禅宗でのように、坐禅という自らの修行によって自らの内に仏を見出すという「自力」とである。占筮によらないで自ら思索する態度は、まさにこの「自力」であろう。しかし、人はついに、はかない存在である。あまりにも未知のことが多く、あまりにも無力であることが自覚される時、人は「他力」へと向かうことになる。『易』にとって、占筮はやはり否定し得ないものである。

いったい、人間にとって迷いは本質的なものだといってよい。悟りきった非凡な人は別として、一般に迷いのない、疑惑を持たない人生というものは、実は真の人生ではないとさえいえる。そして、あの悟りというものも、大疑団すなわち大きな疑問のかたまりにぶつかって、それを突破するところにこそ開けるものであろう。

迷いや疑惑が起こらないのは、真剣勝負の世渡りをしていない証拠だ、といった思想家もある。[*2] なるほど、日常の平安無事になれて、ついうかうかとだまされていても知らずにいることが、私たち庶民の生活に多いのも、実状ではある。ただ、そうした平凡な人生でも、それなりに日常でのつまらない小事についての迷いはあるものだ。凡人であればこその疑惑というものもある。つまらないことにこだわって迷うのは、つまらない人物のすることだが、それがつまらないか重要かは、当の本人にはかえってわからない。迷いは本人にとって真剣なものだ。人は、その迷いから抜け出すために、何をするであろうか。

人がその無力を知った時

日常で起こりがちなつまらない例をあげてみよう。今日の天気はどうかな。予報は午後から雨だというが、このごろの予報は必ずしも当てにならない。朝の空もようを見るのにどうも降りそうにない。傘を持っていくべきかどうか。持っていくにこしたことはないが降らないと馬鹿くさいし、帰り道でどこかに忘れてくることもある。こんな場合、結局必要なのは決断である。その決断のためのきっかけとして、私たちはよく一つのゲームをこころみる。ポケットの一枚の貨幣を取り出してぽんと上に投げ、掌に受けとめたその裏表でどちらかに決める。裏なら持っていく、表ならやめる。こういう経験は誰にもありそうである。

さて、これは確かに一つのゲームにすぎない。本来、どちらにしても大したことではないから、気持も楽だ。迷いの内容がだんだん深刻になると、人は簡単にはまっすぐにそうしたゲームには向かわない。人は、あらゆる経験と科学知識を動員して、その解決をはかる。しかし、結局どうしようもなく決めかねて、しかもどちらかの行動を迫られるとなると、やはり決断のきっかけとなる何かがほしいということにもなるであろう。先のゲームをこころみた心情の底には、決めかねる判断を偶然という「他力」によって決しようとするこころがひそんでいる。同じことは、こののっぴきならない追いつめられた場合にも起こり得る。いや、もっとはっきりした形で「他力」への傾斜を示すことも、考えられるであろう。

易のうらない方は、広大な宇宙の道理に従ったものだとされている。それは、人間を微小なもので有限な存在だとする考えに、対応したものである。古代中国には、中国の世界は実は全体世界の八十一分の一にしかすぎないのだと主張した思想家がいた。[*3] またこの人間世界での戦争を、「蝸牛角上《かぎゅうかくじょう》の争い」つまりかたつむりの角《つの》の上での争いといったちっぽけなものにたとえた思想家もあった。[*4] 人間のいとなみは、広大な宇宙の規模から考えると、いかにも小さい。私たちの住んでいる地球は、銀河系の中の太陽系に属する一つの惑星にすぎないが、この銀河系の外側には、またそれと同じほどの大きさの星雲が、おそらく一千億もの数で存在しているのだという。まことに、気の遠くなるような広さである。月に達した人間の知恵はすばらしいものだが……、うぬぼれてはいけない。宇宙のひろがりからいえば、それはほんのお隣にすぎないのだ。

人間にとって、まだまだ未知のことは多い。宇宙のひろがりにしても、それがどこまでのものかは、ほとんど不明である。無数の星雲でできているこの宇宙はどんどん膨脹しているのだともいわれる。そんな遠いことでなく、身近い人間の問題そのものが、果たして十分にわかったといえるであろうか。

人間にとって、どうしようもないということ、つまり人間の現在の能力をこえたことも、まだまだ少なくない。人間にとって不可能はないなどという威勢のよいことばは、その現実をありのままに説明したものではない。具体的な個人について考えれば、能力の限界は一層明らかであろう。人間が生物として死を約束された存在であることを考えただけで、事は明白である。私たちはおもいがけない突然の不幸にうちのめされたり、理由の定かでない健康の不安におびえたりもする。そして、そのような時、「運命」ということばをふと想い出すことにもなるのである。

占筮は、このようにして、有限な人間のぎりぎりの状況のもとで、その存在の意味を明らかにする。人びとは、そこで、合理主義的な考えにあきたりないで、神秘に向かったりもするのである。文化の進んだ今日の社会でも、なおうらないを信ずる人が絶えないのは、そのためであろう。

本書をうらなう

しかし、現在ではまた、もっと陽気にうらないを楽しむ風潮もある。それを信じるとか信じないとかいった深刻な問題ではなくて、一種のギャンブルのようにである。先にあげた貨幣の裏表のゲームも同じだ。そういううらない方は、易を冒瀆するものだといって、怒る人もあるかも知れない。易を聖人の制作だと信じていた昔の人びとからすれば、当然そうであろう。が、何も目くじらをたてることもない。何かの決断のきっかけともなるなら、それはそれで、りっぱなうらないではないか。易の哲学をどう思うかがそれぞれ個人個人で違うであろうように、易のうらないをどう受けとるかも、人さまざまに違っていてよいであろう。

私もまた、ひとつうらなってみることにしよう。易について書こうとする私のこれからの仕事が、無事にりっぱな成果をあげるであろうか。おもむろに筮竹を手にしてうらなってゆくと、下が☴巽《そん》、上が☳震《しん》の、䷟恒《こう》の卦が得られた。恒とは恒久、つまりいつまでも変わりなくつづくという意味である。判断のことばをみると、

恒《こう》は亨《とお》る、咎《とがめ》なし。貞《ただしき》（正）に利《よろ》し。往《ゆ》く攸《ところ》あるに利し。

「亨る」とは、仕事が順調に進むことである。だから「咎なし」であって、これと

いう障害もない。ただそれは、正しくまじめにつづけてこそ、よいのである。どこかに執筆に出かけるのもよろしい。うらないの結果はどうやら悪くはない。ただし、初めの調子を変えないで、ねばり強く、そしてまじめにやれ、ということであるらしい。

さて、『易』の内容が占筮と義理との両面を兼ねそなえているからには、易の話は当然にもその両面に及ばねばならない。話は、まずうらないの方から進めたいと思うが、それには、易の全体の構成について、そのあらましをみておく必要がある。今日の『易』の書物について、その全体の構造がどういう原理によって組み立てられているかを考え、それにともなって、特殊な易の術語を調べることから始めることにしたい。

注

＊1　君子《くんし》、居《お》りては則《すなわ》ちその象《しょう》を観《み》てその辞《じ》を玩《がん》し、動きては則ちその変を観てその占《せん》を玩す。

＊2　『近思録』巻二――疑いを知らざる者は、ただ是《こ》れ実《まこと》に作《な》さざるなり。既に実に作せば、則ち須《すべか》らく疑いあるべし。（二程語録）

＊3　戦国時代の陰陽家、鄒衍《すうえん》（前三〇五―前二四〇）の大地理説。（『史記』孟子荀卿列伝）

＊4　『荘子』則陽篇にみえる説話。

I——易の構成

一——八卦と六十四卦

八卦が基礎となる

易の全体は六十四卦《か》から成り立っている。事実、『易』の書物——それは『周易』とか『易経』とよばれるのだが、その内容の大部分は、六十四卦の説明である。うらないはこの六十四卦によって行なわれる。ただ、この六十四種類の卦の形は八卦《け》を基礎としてできており、八卦のもとはまた結局のところ⚊であらわす陽性の符号と⚋であらわす陰性の符号との組み合わせである。

そこで、易の構成はまず⚊と⚋との二種の符号から始まるが、その符号がもともと何を意味したものであるかは、今日もはや明らかでない。郭沫若《かくまつじゃく》は古代の生殖器崇拝のあらわれだとして、それを男女の生殖器を象徴したものとみており[*1]、武内義雄はまた亀の甲羅を焼くうらないでの、そのひび割れではないかという[*2]。のちに説くように、易の構成は数の観念とも関係が深い。だからこの符号は、一と二、つまり奇数と偶数とをあらわしたものだとみることもできる。そうだとすれば、奇数を陽とみ、偶数を陰とみる易の立場とも合うことになるであろう。しかし、これも単なる想像にすぎない。いずれにしても、この二種の符号は陽剛と陰柔という反対の性質をあらわすものである。

さて、この二種の符号を一つずつ用いた二本の組み合わせを考えると、四とおりの変化が得られる。さらに一本を加えた三画《かく》で考えると、今度は八とおりの変化が得られる。これがいわゆる八卦であって、ここではじめて卦としての意味が生まれ、六十四卦の基礎が定まるのである。いま、それを図示してみると上図のようである。二種の符号で三画を描くと、その組み合わせ方が八とおりになるのは、数理的に決まったことである。そ

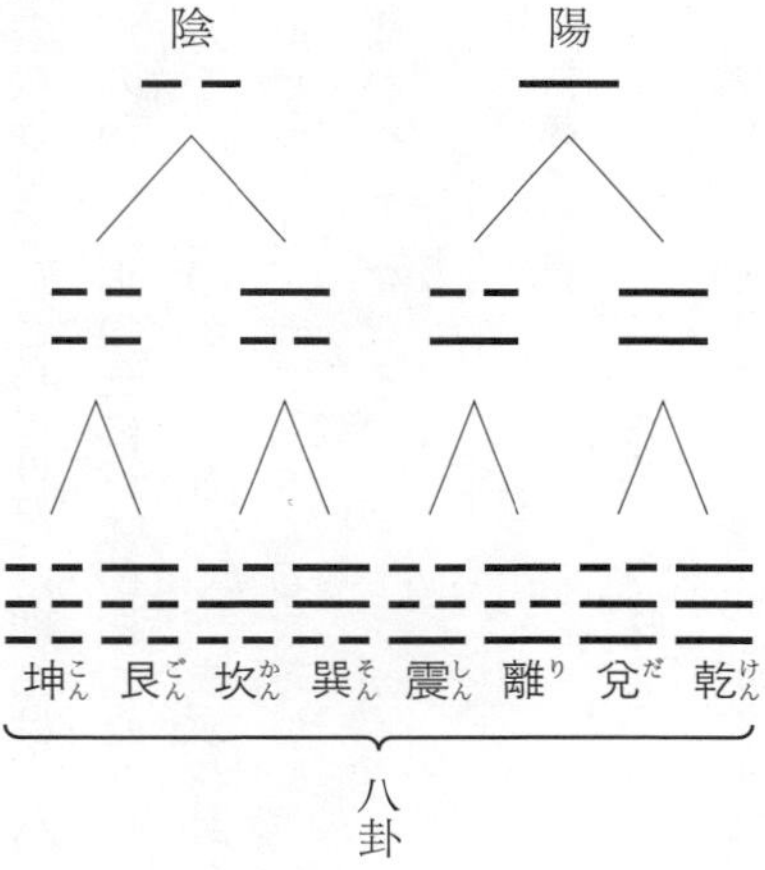

の八卦を基礎として立てた理由は、八という数字に特別な意味があってそれを立てたのか、三画の三に意味があったからそういうことになったのか、あるいはその両方であったのか。ともかく、まず八卦が基本として立てられる。つまり、卦というまとまりは、まず三画でできあがる。そして、そこに卦としての意味がはじめて生まれることになる。

卦象と卦徳

この卦としてあらわす意味を、卦の象《しょう》という。

「八卦が完成して並ぶと、そこに象がこめられたことになる」といわれている。[*3] 易は、聖人が世界のありさまを観察して、それを卦の形に象徴化したものだというのが、古くからの伝説であったからである。では、八卦の象とされるものはなんであろう。その詳細は、『易』の中の「説卦伝《せつかでん》」という篇にみえている。

八卦の象とされているものはさまざまである。しかし、それらの中で最も重要とされているのは、天・地などの自然現象である。人間についての父・母などといった組み合わせや、人間の体の部分の配当などもあり、また家畜を含む鳥獣の名などもまとまったものであるが、易の全体に最も深い関係があるのは自然現象である。のちに見るように、易の思想としては人事のモデルを自然に仰ぐ立場が強いが、これもそのあらわれである。

八卦にはまた、これらの具体物とは別に、特殊な八つの性質が配当されている。乾の卦には健《すこやか》の性質があり、坤の卦には順《したがう》の性質があり、というようにである。この方は、卦徳——すなわち卦のはたらきとして、卦象とは区別して考えるのがよい。八卦の象と八卦の徳とをいまふつうの順序に従って、その主要なものだけをかかげてみよう。

乾《けん》	☰	天	父（君）	首《あたま》	馬	健《すこやか》
坤《こん》	☷	地	母	腹	牛	順《したがう》
震《しん》	☳	雷	長男	足	竜	動《うごく》
巽《そん》	☴	風・木	長女	股	雞	入《はいる》

坎《かん》	☵	水・雨・雲・泉	中男	耳	豕《ぶた》	険《おちこむ》（陥）
離《り》	☲	火・日・電	中女	目	雉《きじ》	麗《かかる》
艮《ごん》	☶	山	少男	手	狗《いぬ》	止《とどまる》
兌《だ》	☱	沢	少女	口	羊	説《よろこぶ》

八卦はまた方角にも配当されている。それも「説卦伝」にみえているが、「八卦方位」とよんで左のような図であらわされるのが、ふつうである。

これらの一つ一つについて、なぜそのように配当されるのかを、十分に説明することは、困難である。ただ、乾・坤を天・地や父・母に配当することなどは、多少納得がいかないでもない。乾は陽性の盛んであり、坤は陰性の盛んだからである。また、卦徳の健・順などの八つの配当は、乾・坤などの八卦の名称との関係が考えられる。乾・坤を別にしても、震《しん》に動を当て、巽《そん》に入を当て、坎《かん》に陥を当て、離《り》に麗（かかる・くっつく）を当て、艮《ごん》に止を当て、兌《だ》に説《えつ》（悦）を当てるのは、みなそれぞれの卦名の文字の意味として自然である。そこで、後世では、乾・坤などの卦名は卦の本体をあらわしたもので、健・順・動・入などはそれぞれの作用をあらわしたものだという説明も行なわれている。

八卦は古代文字？

さらに、八卦の符号はもともとうらないには関係のない古代文字であった、という学説がある。それに従うと、卦象や卦徳としてあげたものは、本来その文字の意味であったということになる。この学説がもとづく根拠は、『易』の中の「繫辞伝」の記載である。そこでは、太古の包犠《ふっき》（伏《ふっ》犧《き》）という帝王が、天地に模範をとり、鳥獣の文《もよう》と大地の宜《すじ》（義《みち》）とを観察して八卦を作り、それによって神明の徳を通じ、万物の情《ありさま》を類《まね》たといわれており、また「上

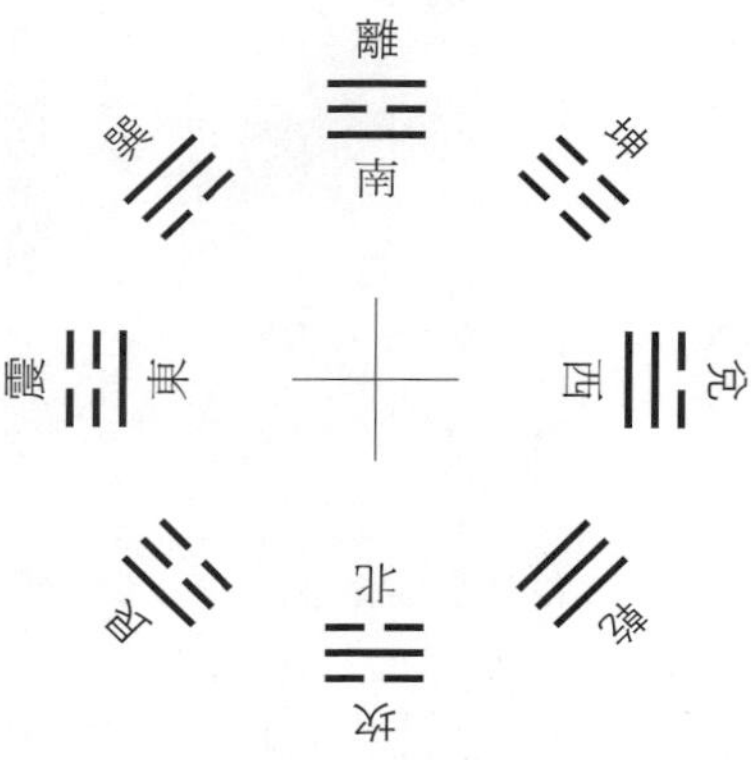

八卦方位

古は縄を結んだ記号だけでよく治まっていたが、後世の聖人は書契《もじ》を考え出してそれにかえた」ともみえている。この書契すなわち文字が作られる前に縄を結ぶ結縄の符号があったと考えることは、たとえば後漢の『説文解字《せつもんかいじ》』の序にもみえるように、漢字の歴史としてかなり普遍的なことである。そこで、伏犠が八卦を作ったという伝説をその結縄と重なるもの、あるいはそれに続くものとして文字の歴史のなかに組み入れたわけである。

　ただ、この古代文字説はほとんど成立しそうにない。今日に残る最古の漢字は、殷《いん》の遺蹟から発掘されたいわゆる甲骨文《こうこつぶん》であるが、それ以前にその原形としての古代文字があったとしても、それが八卦である可能性はきわめて薄い。その理由は、八卦が文字であるとすれば、その構成要素である⚊⚋の一画やその二種を組み合わせた二画の四種についても、文字としての機能が考えられるのが当然と思われるが、この方は八卦のようにははっきりした意味がない。つまり文字としての痕跡は薄い。先に八卦になってはじめて卦象ができるといったのは、そのことである。さらに甲骨文の原形だとすれば、その形との連繋《れんけい》も想像できてよいわけであるが、その点でも、両者の形はまったく違っているようである。八卦はやはり特殊な目的のために特に作り出された符号であって、その目的というのはうらないであったとしてよいであろう。

六十四卦の成立

さて、八卦のまとまりと、それが易の全体のなかで占めている重要な意味とを考え合わせると、おそらくうらないは、もともと八卦だけで行なわれた段階があったに違いない。ただ、八卦だけでは単純すぎるという考えが、やがて起こってきたのであろう。三画の卦を二つ重ねて、つまり六画にして、八卦の二乗《じじょう》で六十四卦を作り、それで全体の構成が考えられることになった。これを重卦《ちょうか》すなわち卦を重ねることとよんでいる。

重卦によって得られた六十四卦の形を、卦名とともに、いまの『易』の順序に従ってあげると次のようである。

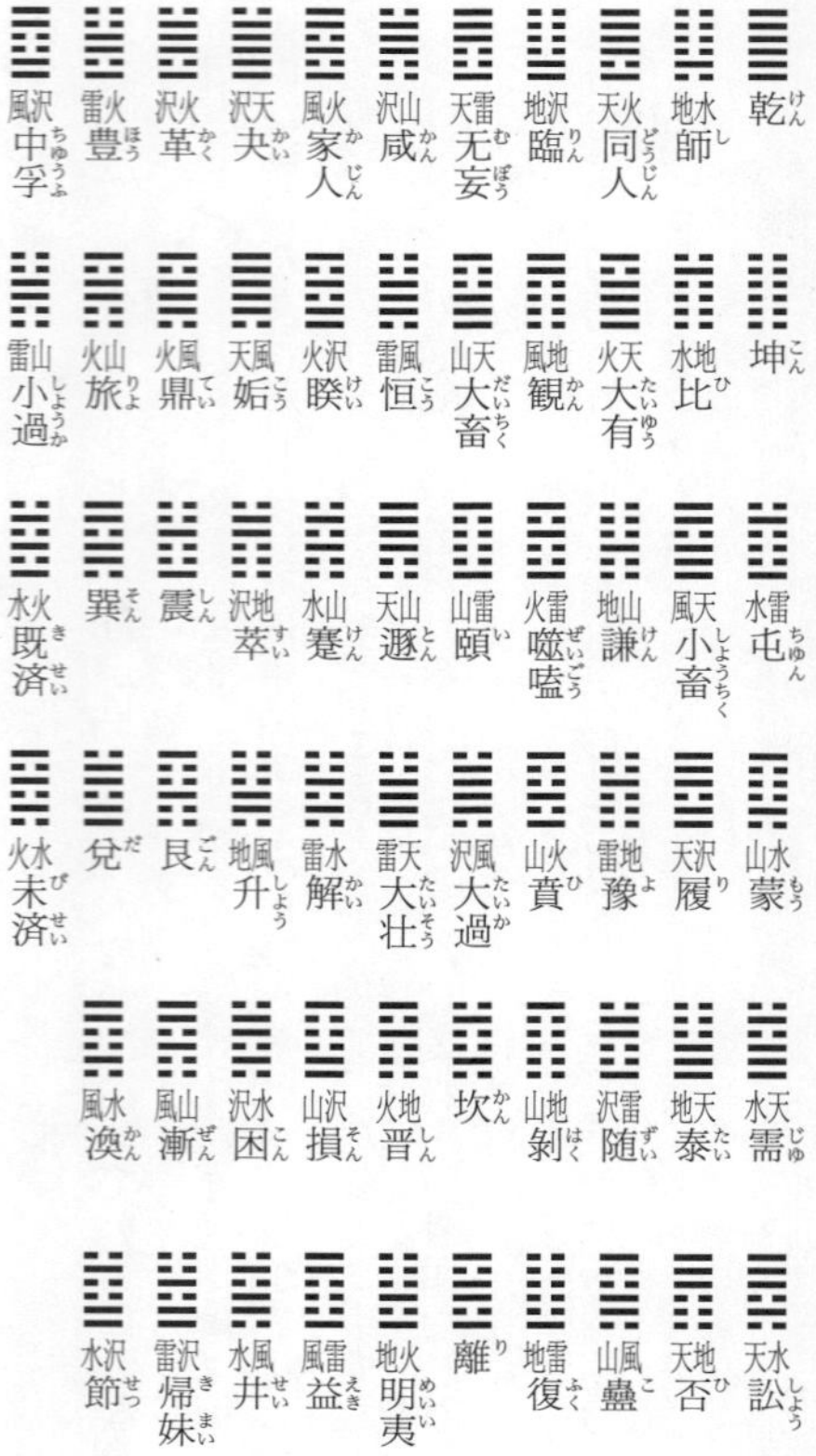

乾（けん）	坤（こん）	水雷屯（ちゅん）	山水蒙（もう）	水天需（じゅ）	天水訟（しょう）	地水師（し）	水地比（ひ）
風天小畜（しょうちく）	天沢履（り）	地天泰（たい）	天地否（ひ）	天火同人（どうじん）	火天大有（たいゆう）	地山謙（けん）	雷地豫（よ）
沢雷随（ずい）	山風蠱（こ）	地沢臨（りん）	風地観（かん）	火雷噬嗑（ぜいごう）	山火賁（ひ）	山地剥（はく）	地雷復（ふく）
天雷无妄（むぼう）	山天大畜（たいちく）	山雷頤（い）	沢風大過（たいか）	坎（かん）	離（り）	沢山咸（かん）	雷風恒（こう）
天山遯（とん）	雷天大壮（たいそう）	火地晋（しん）	地火明夷（めいい）	風火家人（かじん）	火沢睽（けい）	水山蹇（けん）	雷水解（かい）
山沢損（そん）	風雷益（えき）	沢天夬（かい）	天風姤（こう）	沢地萃（すい）	地風升（しょう）	沢水困（こん）	水風井（せい）
沢火革（かく）	火風鼎（てい）	震（しん）	艮（ごん）	風山漸（ぜん）	雷沢帰妹（きまい）	雷火豊（ほう）	火山旅（りょ）
巽（そん）	兌（だ）	風水渙（かん）	水沢節（せつ）	風沢中孚（ちゅうふ）	雷山小過（しょうか）	水火既済（きせい）	火水未済（びせい）

この場合、六画にはなったけれども、前の三画の八卦の意味が消えてしまうのではない。下の三画を内卦といい、上の三画を外卦とよんで区別するように、それは確かに八卦の二つを組み合わせてできたものなのである。六十四卦のそれぞれの卦

の意味をその内外の八卦の意味と関係づけて説明する立場が、「彖伝《たんでん》」とか「象《しょう》伝《でん》」といわれる部分には一貫してみられるが、それも八卦を重ねたという意識のあらわれである。ここで卦名の上に記した二字は、その卦を構成する八卦の象である。その組み合わせがはっきりとわかるように、六十四卦をならべかえてみると、次のようになる。

	(☰乾下)	(☷坤下)	(☳震下)	(☴巽下)	(☵坎下)	(☲離下)	(☶艮下)	(☱兌下)
(☰乾上)	乾	否	无妄	姤	訟	同人	遯	履
(☷坤上)	泰	坤	復	升	師	明夷	謙	臨
(☳震上)	大壮	豫	震	恒	解	豊	小過	帰妹
(☴巽上)	小畜	観	益	巽	渙	家人	漸	中孚
(☵坎上)	需	比	屯	井	坎	既済	蹇	節
(☲離上)	大有	晋	噬嗑	鼎	未済	離	旅	睽
(☶艮上)	大畜	剝	頤	蠱	蒙	賁	艮	損
(☱兌上)	夬	萃	随	大過	困	革	咸	兌

六十四卦の順序の意味

これで、重卦の意味ははっきりしたと思う。そこで、たとえば第一行の否《ひ》の卦であれば、それは坤下乾上の卦、无妄《むぼう》の卦であれば震下乾上の卦というように、いずれも上下の卦名でよばれることもある。

ただ、先にあげたように、いまの『易』の順序ではこのようなわかりやすい形では並んでいない。それは、いまの順序にはまたそれとしての特別な意味があったからであろう。その六十四卦の順序の意味を記したものが、『易』の中の「序卦伝《じょかでん》」という篇であるが、その説明にはこじつけめいたものもあって、十分に納得できるものではない。しかし、前のほうの表をよく注意してみると乾䷀とその次の坤䷁とではその卦の形が陽と陰とまったく反対になっており、次の屯䷂と蒙䷃とでは全体を上下にひっくりかえした形で対応している。つまり、次つぎと二卦ずつが反対の形で一組ずつ対《つい》になっていることが知られる。そこには、易の哲学として興味の深い問題があるのだが、それは後で述べることにする。いずれにしても、六十四卦の順序に何らかの特別な意味があったことは想像してよいであろう。

三百八十四爻

さて、六十四卦は八卦を重ねて「引きて伸ばし」たものであるから、八卦の場合と同様に、それぞれの卦に象徴的な意味のあることはいうまでもない。ただ、八卦と違っているのは、ここで爻《こう》という概念が出てくることである。先にあげた「八卦が完成して並ぶと、そこに象がこめられたことになる」ということばは、「その八卦をもとにしてそれを重ねると、そこに爻がこめられたことになる」[*4]ということばにつづいている。爻というのは、⚊や⚋であらわされている一本一本のよび名である。それは、八卦の場合にも三画として含まれているのだが、そこでは爻としては問題にならず、六十四卦の六画になって、はじめてその六本の一本一本を爻とよぶのである。だから、「六爻」というよび方はあっても、「三爻」というまとめ方はない。こうして爻は、易の全体では六十四卦の六倍で、三百八十四爻あることになる。この爻という概念は、いったいなんであろう。

「爻というのは此《こ》れに効《なら》ったものである。象というのは此れに像《かたど》ったものである。爻と象とが内に動いて、吉凶が外にあらわれるのである」というのは「繫辞伝」の説明である。まず爻を効で解しているのは、象を像で解しているのと同様に、同じ発音の同じ意味の文字によって解釈したものである。漢字の解釈にはこういうのが少なくない。そして、これを「爻というのは天下の動きに効ったものである」という説明に合わせて考えると、その意味は一層はっきりする。象が天下の万物を象徴したものであるように、爻の方も天下の万物の変動を模写したものである。そして、それは象とならんで吉凶のうらないを助けるものとされている。

『易』は「変化の書」

ここにまた、変動とか変化という考え方が爻と結びついて生まれている。

爻とは変をいうものである。（「繫辞」上伝）

爻とは天下の変動にならったものである。（「繫辞」下伝）

とかいわれているのが、それを示している。易とは変易を意味するともされるように、易の全体が変化だということもできる。『易』の書名の英訳は『The Book of Changes（変化の書）』である。けれども、そのもっとも限定された意味では、変は爻変として六爻に関係したものである。それは、象が卦象として八卦と関係するのと対応している。そして、この両者が助け合ってうらないを成り立たせるのである。

爻が動的なものであるのに対して、卦象はいずれかといえば静的なものだといえるであろう。

六爻のよび方

六爻はまた、その順序を下から上に向かって数える。下の三画の卦を内卦とよび、上の三画の卦を外卦とよぶのも、それと関係がある。六爻のそれぞれの位置を位と見立てて六位とよび、それを下から初・二・三・四・五・上と名づけるのである。うらないの筮法で一画一画を作っていくのも、この順序に従って、下から上へと位をうずめていく。われわれのふつうの考えからすると上から数えたほうが自然なものに思えるのだが、ここが易の特異な点である。そして、この下から上へという順序は、易の変革の思想と関係して重要な問題を含んでいるが、それはのちに述べることとする。

八卦が六十四卦になって、そこで三百八十四爻の変様《バラエティ》が生まれたというのは、つまり、易のうらないが八卦だけの段階よりはそれだけ複雑になった、ということである。一般に、うらないの技術があまり簡単ではありがたみが少なく、それだけ信用のできないものに思えるのは、もろもろの宗教行事の例と同じである。うらないのための易の構成は、ここに適当な複雑さを獲得して、まず第一段階の完成をみたのであった。

ただ、これだけではなお不十分である。個々の卦象や爻変がうらないの意味として何をあらわしているか、もう少しはっきりしたことをことばとして知りたいというのは、自然な欲求であろう。そこで、それぞれの卦と爻とについての説明のことばが付けられることになった。「卦辞《かじ》」と「爻辞《こうじ》」とがそれである。節をあらためて、それを述べることにしよう。やっかいな術語がたくさんあらわれて、読者にはやや煩瑣に思われるかも知れないが、しばらく御辛抱を願いたい。

注
＊1　郭沫若『古代社会』。
＊2　武内義雄『易と中庸の研究』。
＊3　『易』「繋辞」下伝――八卦成列して、象は其の中に在《あ》り。
＊4　「繋辞」下伝――因りてこれを重ねて、爻は其の中に在り。

二――うらないのことば・「卦辞」と「爻辞」

「卦辞」―卦象の説明

「卦辞《かじ》」というのは、一つの卦のその全体の形についての解釈のことばである。易は六十四卦から成り立っているから、「卦辞」ももちろんすべてで六十四条あることなる。

六十四卦のそれぞれが世界の万物を象徴するものと考えられており、従ってそれぞれの卦には特別な意味があって、それを象《しょう》とよぶことは、前に述べたとおりである。そしてその卦象は、まず乾とか坤といった卦の名前としてあらわされている。それから「卦辞」である。だから「卦辞」はその卦の全体としての意味、つまり卦象を説明したものということになる。それは、卦名と密接に連なる時もあれば、卦名とは別に発展した意味をあらわす時もある。二、三の例をあげてみよう。

乾の卦については、「元亨利貞」という四字である。ふつう次のように読まれる。

元《おお》（大）いに亨《とお》（通）って貞《ただし》（正）きに利《よろ》（宜）し。

坤については、少し長い。

元《おお》いに亨《とお》る。牝馬《ひんば》の貞《ただ》しきに利《よろ》し、君子《くんし》、往《ゆ》く攸《ところ》あれば、先立つときは迷い、後《おく》るるときは主《あるじ》を得て利し。西南には朋《とも》を得、東北には朋を喪《うしな》う。安らかにして貞しければ、吉なり。

これは、いかにもうらないのことばである。坤の卦は陰性の極であるから、「元いに亨る」でそれとして善い卦であることはまちがいないが、先立ってはいけない。万事ひかえめに後からついていけば、就職も上々。方角は西南がよい。要するに、妄動しないで安静にして、わが身を正しく守っていきさえすれば吉だ、という。

少しとばして訟の卦をみると、ここでは乾坤の場合とはやや趣きが変わって、訴訟ごとというその卦名と密接に関係した「卦辞」となっている。

孚《まこと》あるも窒《ふさ》がる。惕《おそ》れつつしみて中なれば吉、終えれば凶。大人《たいじん》を見るに利《よろ》し。大川を渉《わた》るに利しからず。

訴訟ごとは、こちらに言い分があってもそれがうまく通じない状態である。慎重に細心でおればまずはうまく解決しようが、図《ず》に乗ってどこまでも争えば凶である。然るべき人の助けをかりるのはよいが、あまり思いきったことをするのはよくない。おおよその意味はそんなところである。

先には、私自身がうらなって恒の卦が得られた。仕事は順調に進むであろうが……という判断のことばを紹介したが、あれも「卦辞」である。こういうのがすべてで六十四条あり、筮法に従ってうらなった場合、そのどれかに該当することになる仕組みである（巻末付録2参照）。

「卦辞」を解釈する「彖伝」「大象」

ただ、このわずかな例でもわかるように、「卦辞」の意味はなかなか難解である。せっかくことばがあっても、そのことばの解釈はきわめてむずかしい。だからこそ、うらないのありがたみが出る、ということであるかも知れない。そして、何よりも不可解なことは、その卦名や「卦辞」とその卦の符号との必然的な結びつきが十分にはわからないということである。たとえば、訟の卦では、䷅の形が、なぜ卦名があらわすような訴訟ごとの意味になって、「孚あるも窒がる……」などというように説明されることになるのか。その疑問は乾坤以下の他の卦についても、大なり小なり同じである。それを卦の象として説明づけようとつとめるのが、またこの「卦辞」を解釈した「彖伝《たんでん》」とそして「象伝《しょうでん》」の中の「大象」といわれる部分とであるが、それについてはのちに述べる。ここでは、うらないの判断のもとになる「卦辞」とはどういうものか、それがわかりにくいものだということも含めて、そのおおよそが理解されればよいであろう。

「爻辞」のあらわし方

さて「爻辞」の方は、一つの卦を構成する六爻の一つ一つについての解釈のことばである。爻の数は易の全体で三百八十四爻になるから、「爻辞」もまた三百八十四条である。ただ、乾と坤とには特別にその六爻をまとめた一条ずつが加わっているから、「爻辞」はすべてで三百八十六条ということになる。

六十四卦のそれぞれの爻には、一定したよび名がある。六位のよび方が、下から初二三と数えることは前に述べたが、それに陰陽を組み合わせてよぶのである。ただし、陰と陽はそのままではあらわさないで、陰は偶数の六、陽は奇数の九で代表させる。だから、一番下の位にある陽爻は初九と名づけられ、一番上の位にある陰爻は上六と名づけられる。二から五までは位をあとからいって九二とか六三というようによぶ。乾の九二とか坤の初六といえば、それでどういう形の卦のどの爻をさしているかが、ぴたりとわかるわけである。「爻辞」はそれぞれの爻のよび名の下に書かれている。

乾の「爻辞」の例をあげてみよう。

初九　潜《ひそ》みたる竜、用いられること勿《な》し。
九二　見《あらわ》れたる竜、田《でん》に在り。大人《たいじん》を見るに利《よろ》し。
九三　君子、終日　乾々《つとめはげみ》し、夕べに惕若《おそれつつしめ》たれば、厲《あやう》けれども咎《とがめ》なし。
九四　或《ある》いは躍《おど》って淵《ふち》に在り。咎なし。

九五　飛びたる竜、天に在り。大人を見るに利し。
上九　亢《たかぶ》りたる竜、悔《くい》あり。
用九　群《むらが》りたる竜に首《あたま》なきを見る。吉。

最後の用九は、坤の用六と共に、特別に加えられた例外的な一条であるが、それも含めて、全体が竜で統一されていることがわかる。そして、潜竜《せんりゅう》から見竜、飛竜、亢竜《こうりゅう》へということばは、六位の上昇にともなうこととして、理解しにくいことではない。ただ、九三には竜がなくて前後と適合しないこととか、乾の卦がなぜ竜のことになるのかといった疑問が残る。

「爻辞」の解説は「象伝」

乾の「爻辞」はまだわかりやすい方で、一般には「爻辞」は「卦辞」と比べても一層難解である。もう一つ、先にもあげた訟の卦の例をあげてみよう。

初六　事とする所（訟えごと）を永《なが》くせず（まだ初めである）、小に言《もめごと》あるも、終《つい》に吉。

九二　訟に克《か》たず、帰りて其の邑《むら》に逋《のが》（逃）る。人三百戸（の小邑）なれば、眚《わざわい》なし。

六三　旧徳を食《は》む。貞《ただ》しく厲《あやぶ》みてあれば終に吉。或いは王事に従いて成（功）なし。

九四　訟に克たず、復《かえ》りて命に即《つ》く。渝《か》（変）わりて安貞なれば吉。

九五　訟、元《おお》いなる吉。

上九　或いはこれに鞶帯《ばんたい》（礼服）を錫《たま》わらんも、終朝に三たび褫《うば》わる。

「卦辞」について「彖伝」や「大象」があったように、「爻辞」については「象伝」とよぶ解説があって、この「爻辞」の一つ一つをその卦爻の形について説明づけている。それを読んでも十分に明白というわけにはいかないが、ここにあげたようなな本文だけでは、なおさら不可解であろう。訟の場合には、卦名との関係はなんとか保たれているようだが、全体の脈絡もあいまいであれば、また個々の文の意味にもはっきりしないところがある。

「卦辞」や「爻辞」が、このようにわかりにくい一貫性のない構成になっているのは、実はそもそもその成立の事情に問題があったからである。そのことはIII章でとりあげることにするが、ここで大切なことは、要するに、これらの不可解な問題の多いことばが、易の中心となって、そのうらないの判断を直接に支えているということであろう。

「経」が『易』の中心

六十四卦の符号と、その卦の説明である「卦辞」と、その爻の説明である「爻辞」と、これまでみてきた、これだけが、『易』の書の中心になる「経《けい》」である。うらないの技術（筮法）そのものは「経」には書かれていない。しかし、そのうらないの技術で得られた卦の形は、この「経」に対照して、はじめてその意味を明らかにするのである。つまり、うらないのためには、一条も欠けることなくどうしても必要な部分ということによって、まずそれは「経」なのであった。

三――「経」と「伝」

上経と下経

易の構成をみてきた私たちは、八卦と六十四卦、「卦辞」と「爻辞」と進んできて、ここまでが、いわゆる『易経』のなかでも特に中心になる「経」であることを知った。つまり、『易』の書物は、いうまでもなく五経の一つとして全体が経典なのではあるが、その内容は、さらに経のなかの経ともいえる部分と、それを助けるものとしての「伝」の部分とに分けられているのである。

「経」はさらに上経と下経とに分かれる。前にかかげた乾・坤からはじまって未済《びせい》の卦に終わる六十四卦の順序で、乾から離《り》の卦までの三十卦を上経、次の咸《かん》卦から最後の未済までの三十四卦を下経とするのである。もちろん、「卦辞」と「爻辞」

とが、それぞれの卦に属して含まれていることは、いうまでもない。この上下二篇の分別を、陰陽にかたどったものだとする説もあるが、おそらくはかってな説明づけであろう。もともとは、分量に応じて二分したまでのことであったと思う。

「伝」に「十翼」あり

易の構成として、「経」の部分についてはすでにあらかた説明を終わったので、ここでは、その他の「伝」の部分について述べることにしよう。「伝」のなかのいくつかについては、これまでにもその篇名は出てきた。「経」である「卦辞」や「爻辞」があのように難解なものであるからには、それを解釈する文章が当然必要であったわけであり、さらには「経」の文とは無関係に、易の全体の構造についての哲学的な把握をこころみた文章などもあらわれることになった。それが「伝」である。義理の書としての『易』の理解には、むしろこの「伝」の部分こそが重要だといえるが、そのことの詳細は、その成立の事情などとともに、あとの章にまわして、まず『易』の全体の構成が把握できるように、現在の形について簡単な内容紹介だけをしておきたい。

「伝」は十篇に分かれている。だから、その全体は「十翼《じゅうよく》」ともよばれる。翼はいうまでもなくつばさの意であるが、鳥のつばさがその体を空中で支えることからして、物を助け支える意味となっている。「十翼」とは、経を助け支える十篇の伝という意味である。

まず、前にも紹介した「彖伝《たんでん》」と「象伝《しょうでん》」とがある。「彖伝」は「卦辞」についての解説、「象伝」は「大象」と「小象」とに分かれ、中心は後者であってそれは「爻辞」の解説であるが、前者の「大象」は卦についての独自の解釈である。「経」の上下篇の分別に応じて、それぞれ二篇ずつに分かれているから、これで四篇になる。

「彖伝」と「象伝」

彖という字はむずかしい字であるが、断という意味であって、うらないの結果を決断するところから名づけられたという。「繫辞伝」のなかでは彖と爻とを対照的に述べるところもあって、もと「爻辞」に対する「卦辞」のことを彖ともよんだものらしい。だから、彖の伝《かいしゃく》という意味で「彖伝」と名づけられているのである。「象伝」の方も同じことで、「爻辞」はまた象辞ともいわれるところから象の伝なのである。先には、象は八卦にはじまる卦についての象だといった。それからすると、むしろ「卦辞」を象辞とよぶ方が自然にも思えるのだが、易のすべてを万物の象徴とみる立場からすると、「爻辞」を象辞とよぶことも別に不思議ではない。卦の方は彖とよばれるようになったので、爻の方はそれとの対応で象とよぶことになったのであろう。

「彖伝」と「象伝」とは、「大象」を除いて関係が深い。違っているのは、解釈の対象が「卦辞」と「爻辞」に分かれているというだけで、その文章の体裁にも、その解釈の基本的な立場にも、共通したものがみられる。先の「卦辞」と「爻辞」で例とした訟の卦の伝をあげてみよう。

彖に曰く、訟は上は剛にして下は険、険《けわ》しくして而《しか》も健《つよ》ければ訟《あらそ》う——䷅

九五　「訟、元《おお》いなる吉」とは、中正を以てなり――九五が外卦上体の中で陽を得ていることをさす――

上九　（略）

「彖伝」も「象伝」も、「卦辞」と「爻辞」をあげてそれを説明づける態度は同じである。文章の体裁もよく似ていて、おおむね韻を踏んでいることも一致する。そして、「経」を解釈する仕方には、卦の象で説いたり、卦の徳で説いたり、[*1]卦の形や爻のあり方によったり、また単純に敷衍的な意味の解釈であったりして、必ずしも一定しないが、その解釈ないし説明づけの基本的な立場は両者ともに一致している。

卦や爻の形から解釈する

いま、その基本的な立場の二、三をあげてみると、まず第一には、「卦辞」や「爻辞」と卦爻の形との関係を、合理的に説明しようとする態度が、一貫してみられることである。それは、「卦辞」や「爻辞」そのものでは、必ずしも明らかでなかったことである。たとえば、訟の卦の䷅の形が、なぜ訴訟ごとの意味になって、「孚《まこと》あるも窒《ふさ》がる……」などというように説明されるのか、その関係が疑問であることは前に指摘しておいたとおりであるが、それが「彖伝」では、下の内卦が坎《かん》の卦で険の徳であり、上の外卦が乾の卦の剛健の徳であるから、険と健とのかみ合わせで訴訟になる、と説明されている。そうした説明は、かなり恣意的で不可解なこじつけめいたものもあって、十分納得できるものではない。しかし、ともかく「経」のことばを卦爻の形によって説明するのが「彖伝」「象伝」の一貫した基本的立場であって、それは難解な「経」を整合的に解釈しようとする合理的な営みであったとしてよいであろう。

剛・柔による解釈

次には、その卦爻の形の解釈を剛柔によって行なうことである。陰陽ということばは「経」にはみえないが、「彖伝」「象伝」でもまだ一般的ではない。つまり、陽というべきところを剛といい、陰というべきところを柔といって、それによって卦爻の形や変化が説明されるのである。訟の「彖伝」第二節で「剛来たって中を得」といわれているのは、その例である。

次にはまた中正を尊ぶことである。中とは、内卦と外卦、つまり下体三画と上体三画との、それぞれの中央の位をさすのである。六位のよび方でいえば、二と五の位である。正とは、剛（陽）爻と柔（陰）爻とがあるべき位につくことで、陽数すなわち奇数の位に剛爻、陰数すなわち偶数の位に柔爻が来ることである。つまり初九・六二・九三・六四・九五・上六の䷾既済《きせい》の卦はすべて正を得ていることになる。[*2] 正である場合は「位当る」「位正し」「位を得」などといわれてこれもよいことではあるが、もっとも尊重されるのは中位の正、つまり柔中六二あるいは剛中九五を得ることである。訟の「彖伝」第四節と「象伝」九五で「中正」といっているのがそれであった。

「象伝」にはまた「承」、「乗」、「応」、「比」という術語が出てくる。これも卦爻の形を説明するための標準である。「承」とは剛爻の下に柔爻が来ている場合で、これは順で吉兆である。「乗」はその反対に柔爻が剛爻をしのいで上にある場合で、これはよくないとされる。ここには、すでに剛が尊くて柔が卑《いや》しいとする考えがみえるようである。「応」とは、上下の卦が対応することで、初と四、二と五、三と上の位が相対するとみて、そこに剛爻と柔爻とが来るとそれを「応」として吉兆、剛と剛、柔と柔は好ましくない、とされる。この背景には、異性は引き合って同性は反発するという原理がみえている。「比」もまた同じ原理によるもので、初と二、二と三というように隣り合う爻が剛と柔で比《した》（親）しい関係にあることをいう。

儒教的に整理されている「大象」

「彖伝」「象伝」は以上のような原則で一貫しているといえるが、ただその原則の適用は十分には整理されていない。もともと「卦辞」や「爻辞」がそうした原則で作られたものではなさそうであるから、それを別の原則で一貫して説明するなどということは、無理な話であった。「彖伝」「象伝」のなかにあいまいなこじつけめいた説明が少なくないのも、そのためである。

これに比べると、「大象」はまったく違っている。ここでは六十四卦の形を構成するそれぞれの八卦の象によって卦の成り立ちを説いた上、そこから引き出される倫理的な意味をぶっつけに述べるのである。

地（坤）勢は坤。君子は以《もっ》て徳を厚くして物を載す――大地は厚く万物を載せる。その坤の象を模範として君子はつとめる――

天（乾）と水（坎）と違《たが》い行《すす》むは、訟。君子は以て事を作《おこ》して始めを謀る――天は上にあって上に進み、水は下にあって下に進む。分離して訟となる。君子はそれを戒めとする――

上は天（乾）下は沢（兌）なるは、履。君子は以て上下を弁《わか》（分）ち民の志を定む――履の卦名を礼の意味にとり、天は上に沢は下に、あるべき位にある卦の象を模範として、君子はつとめる――

「大象」は、このように、卦象にもとづいて卦名を説き、それに模範をとった道徳処世法を説くという点で一貫しており、それだけ儒教的な色彩で統一されている。卦名の説き方に無理なところもあるが、「小象」などと比べて、全体として、大変すっきりしたまとまりを見せている。儒教経典としての『易経』の面目をもっともよくうかがわせる部分である。

「文言伝」「繫辞伝」

「彖伝」「象伝」と性格が似ているのは、「文言伝《ぶんげんでん》」である。これは特に乾卦と坤卦にだけ付いている解説で、「彖伝」「象伝」の延長のような趣きがある。ただ、内容的には、かなり儒教道徳の色彩が強く、むしろ次の「繫辞伝《けいじでん》」と関係が深い。「繫辞伝」は上下二篇に分かれているが、その分別には特に意味はない。全体としてその内容は雑然としており、うらないの方法から広くうらないに関係する事項に及ぶと同時に、また一種の世界観とともに易の象徴的な性格を追求するという哲学的なことばもあり、また易の成立についての歴史的な説明なども合わせ持っている。つまり、ここでは易というものが全体として考察の対象にされ、技術的な面から哲学的な面まで、広い範囲にわたって思索されているのである。いわば易学概論ともいうべきものと考えてよかろう。そして、もしこれを総論と考えれば、先の「文言伝」は各論であるとしてよいであろう。

易ということばは『易』の書物のなかで、ここではじめてあらわれる。また陰陽という概念も、剛柔と代わって、ここでふつうに使われる。その体裁からしても、それが、「彖伝」や「象伝」よりは一歩を進めた篇であることは、明白である。易には深遠な哲学があるともいわれたりするのは、主としてこの「繫辞伝」の内容によることが大きい。「彖伝」「象伝」とならんで、「十翼」のなかの最も重要な篇である。すでにこれまでにも、そのなかのいくつかのことばを取り上げてきたが、これからもまたその内容が種々の手がかりを与えてくれるはずである。

「説卦伝」「序卦伝」「雑卦伝」

「繫辞伝」につづくのは「説卦伝《せつかでん》」「序卦伝《じょかでん》」「雑卦伝《ざつかでん》」の三つである。これで十篇がそろったことになる。「説卦伝」は、その初めは易の制作に関することばがあって「繫辞伝」に似ているが、主要な内容は八卦の象を列挙したものである。先に卦象の例としてあげたものが、その一部である。「序卦伝」は、乾に始まって未済に終わる六十四卦の順序を、一卦ずつ順を追って理由づけたものである。それは、専ら卦名についてその意味上の連繫を求めたもので、たとえば、屯《ちゅん》・蒙《もう》・需《じゅ》とつづく卦の順序を、屯は物の始生の意味で、始生は幼稚であるからその意味の蒙で受け、幼稚なものは養育すべきであるからまたその意味の需で受けた、という類である。卦名の意味の取り方はかなり恣意的で、連続にも無理が少なくない。もちろんあとからの説明づけであって、六十四卦がもともとここにいうような理由で順序づけられたのではなかったからである。最後の「雑卦伝」は、六十四卦のそれぞれについてのきわめて簡単な説明であるが、その順序は『易』の順序とは違っている。ただ、二卦ずつの組み合わせで反対の意味を生かして説くところに特色がある。たとえば、「乾䷀は剛にして坤䷁は柔、比䷇は楽しくして師䷆は憂う」といった類である。その解釈は、序卦の場合と同様に、おおむね卦名の意味に直結しているが、師を憂いと解するような敷衍的なものも含まれている。師は軍事であるからそれを憂い事とみたわけであろう。

まとめ

さて、以上を要約すると、まず易は八卦を基礎にした六十四卦で構成されているが、その六十四卦とその卦を形づくる三百八十四爻とについての説明である「卦辞」と「爻辞」とがあって、それらが「経」とされている。「経」は上下篇に分かれ、うらないの判断はそれに従って行なわれるのである。しかし、「経」は難解であるために、それを解釈する「伝」が作られることになって、それが「彖伝」上下篇、「象伝」上下篇と「文言伝」である。さらに、易の全体の考察を種々の角度からこころみた「繫辞伝」上下篇と卦の象を説いた「説卦伝」、六十四卦の順序を説明づけた「序卦伝」、六十四卦の卦名の意味を説いた「雑卦伝」があって、十篇の伝すなわち「十翼」がそろうことになる。

易の全体の構成はこれで把握できたことであろう。重要な術語についてもすでに紹介を終わった。章をあらためて、いよいよ占筮の話に入ることにしよう。

注

＊1　卦象や卦徳のことについては三二ページ以下で述べた。なお前掲の「訟」の例についていえば、「彖伝」の第一節が卦徳によるもの、第二節・第四節「彖伝」六三・九五が爻のあり方によるもの、「彖伝」第三節・「象伝」初六が単純解釈である。

＊2　既済の卦の「彖伝」で「貞《ただし》きに利《よろ》しとは、剛柔が正しくてその位が当っているからである」とあるのは、そのことをいったものである。

II——うらないとしての易

一——占筮の方法

蓍か筮竹を使う

うらないの技術についてしるした最古の資料は、今日では「繫辞伝」のなかの記録である。それは、もちろん今日の六十四卦の易についての筮法であって、正統的な方法として永く伝えられてきたものである。おそらく六十四卦の筮法の前には、八卦の筮法の段階があったのではないかと思うが、それは想像だけのことで、いまでは「繫辞伝」の記載よりも古い筮法を確実に知ることは不可能である。ここでは、まず、「繫辞伝」にもとづいて、筮法の骨子ともいえる技術的な筋書きを紹介することにする。ただ、「繫辞伝」の書き方はきわめて簡略で、実際の技術となるとわかりにくいことも少なくない。そこで、その点は『周易正義』や朱子の『蓍卦《しか》考誤』『易学啓蒙《けいもう》』、そして海保青陵の『周易古占法』などを参照して補うことにした。

まず易の筮法で筮竹《ぜいちく》といわれる細い竹の棒を用いることは、広く知られている。これは蓍《めどぎ》というマメ科の多年生植物の枝を用いるのが本来である。なぜ蓍を用いたかというのは、軽くて丈夫だというような実用的な理由もあったではあろうが、特定の植物に神霊の存在をみるのは古代にありがちなことであるから、おそらく何らかの宗教的な意味があったのであろう。

まず四段階の操作

さて、蓍《めどぎ》または筮竹は五十本をそろえる。うらなうべき具体的な問題を祈念すると、一本は取り除いて使わない。それは、易の働きを根柢で支える「太極」とよばれるものに見立てられる。そこで、実際に用いる四十九本を無心の境地で左右両手に自由に二分する。ここが大事なところ、無念無想で一切の雑念を払って行なう。左手は天、右手は地である――(第一営)――。

次に右手の分から一本をとって左手の小指にはさむ。これで天・地・人のつまり三才となった――(第二営)――。

右手の分を下において、左手の蓍か筮竹を右手で四本ずつ数え、その余りを薬指と中指の間にはさむ。余りのない時は最後の四本を余りとする。四本ずつ数えた分を下において、次には先の右手の分をとりあげ、同じように四本ずつ数えて、その余りを人さし指と中指の間にはさむ。最後が四本の時はそれを余りとすることも前と同じである。数えきった分は下におく。この四本ずつ数えることを揲蓍《せつし》といい、それは四季のめぐりをかたどったものだとされる――（第三営）――。

余りを指にはさむのは閏年《うるうどし》にかたどったもので、右の一本を左小指にはさんだことと、揲蓍を左右二度行なうことと、余りを二度はさむこととを合わせた、五つの操作のなかに余りが二度出るから、これを五年に二度の閏にかたどったものとみている――（第四営）――。

そこで、左手の指にはさまれたものを総計すると、五本かまたは九本が得られる。この計算は簡単である。四本ずつ数える分は四十八本で四の倍数であるから、その余りは左右の分を合わせて必ず四本か八本であり、それに人にかたどった小指の一本を合わせると、五本か九本になるわけである。

以上が第一変である。

四営を三変まで

次には、先の五本か九本の余りを除いた四十四本か四十本かを用いる。それを、前とまったく同じように、両手に二分し、右の一本を左小指にはさみ、左の分を四本ずつ数えて残りを左薬指にはさみ、また右の分を四本ずつ数えて残りを左人さし指にはさむ。こうして四営した結果は、左指にはさまれた総計が、今度は四本か八本である。四十三本か三十九本を四本ずつ数えることになるから、余りは左右の分を合わせて三本か七本、それに左小指の一本を合わせた数である。

以上が第二変である。

第三変は、第二変での四本か八本の余りをさらに取り除いた蓍を用いる。先には四十四本か四十本であったから、今度は四十本か三十六本か三十二本である。これをまた前とまったく同様に二分して、一本を左小指にはさみ、左右それぞれ四本ずつ数えて余りを出すという操作を行なう。余りは第二変の場合と同じで、必ず四本か八本である。

さて、以上の三変の操作によって、はじめて一爻《こう》が画かれる。その画き方は、四本ずつ数えた蓍《めどぎ》の数で決まるのだが、それは裏からいうと、三変それぞれの余った数で決まるともいえる。

爻の画き方

まず、余りが五・四・四と三変とも少ない数の場合は、その他の四本ずつ数えた蓍は三十六本であるから、つまり四本ずつ九回数えたことになる。そこで、九の数は老陽であるからその爻を老陽とおき、重《じゅう》とよんで▭の符号でそれをあらわす。

次に九・四・四、または五・八・四、または五・四・八と、一つが多くて二つが少ない場合は、その他の蓍の数は三十二本であるから、四本ずつの八倍である。そこで八の数に従ってその爻を少陰とおき、拆《たく》とよんで--の符号であらわす。

次にまた九・八・四、あるいは九・四・八、あるいは五・八・八と、二つが多くて一つが少ない場合は、その他の蓍の数は二十八本であるから、四本ずつの七倍である。そこで七の数に従ってその爻を少陽とおき、それを単《たん》とよんで ━ の符号であらわす。

最後に九・八・八と三変ともに多い場合は、その他の蓍の数は二十四本であるから、四本ずつの六倍である。そこで六の数によってその爻を老陰とおき、それを交《こう》とよんで ✕ の符号であらわす。

少陰・少陽・老陰・老陽

ここで、数と陰陽との関係をみておく必要があるだろう。「繫辞伝」で「天数は五、……地数は五、天数は二十有五、地数は三十」というのは、一から十までの間に天すなわち陽剛に当る数は一・三・五・七・九という奇数の五つで、その合計は二十五になり、地すなわち陰柔に当る数は二・四・六・八・十という偶数の五つで、その合計は三十になるという意味である。このうち、一から五までは生数といって物が生育する段階、六から十までは成数で物が完成する段階である。易の象徴は特にこの成数を重んじて、その六から九までを採用する。六と八が陰で、七と九が陽であることはいうまでもないが、六が老陰、八が少陰、七が少陽、九が老陽と分別される。少は若く溌剌としているが、老はすでに成熟して変化しようとしていることを示す。陰は収縮していくから六が老、陽は膨張していくから九が老で、老陰・老陽の爻は変化する爻《こう》という意味で変爻とよばれる。卦の形を求めるには陰と陽だけで十分であるが、「卦辞《かじ》」や「爻辞《こうじ》」をみて判断する場合に、この老少の差が問題になるわけである。

さて、以上、たいへんめんどうな操作であったが、これでやっと一爻《こう》が画けただけである。卦は六爻からできているから、以上の三変とまったく同じ操作を六回くりかえす必要がある。そして、卦の下から順に初爻、二爻、三爻と画いていって、上爻に至って卦の形が完成されるのである。一爻に三変であるから、合わせて十八変、「十有八変にして卦を成す」というのは、このことである。こうして得られた卦を本卦という。

「卦辞」による判断

ここで、いよいよ『易』の経文をひらいて、判断のことばを求めることになる。この場合、先にあげた老陰や老陽の変爻が一つもなければ、うらないの判断は本卦の「卦辞《かじ》（彖辞《たんじ》）」や卦象《かしょう》について行なわれて、「爻辞《こうじ》」には及ばない。

『春秋左氏伝』の昭公七年の条には、衛《えい》の国の殿さま選びを易でうらなった例がみえている。衛の襄公が死んだあと、正夫人には子がなく、妾腹の孟縶《もうちゅう》が一人いるだけであった。ところが、家老の孔成子と史官の史朝とが期せずして同じ夢を見た。衛の国の始祖である康叔が夢枕にあらわれて、元という子を立てよという。そして、まもなく孟縶の弟が生まれて元と名づけられた。孔成子はそこで『周易』によってうらなうことにした。「元さまが衛の国を受けて主君となられますように」と祈って筮をきると屯《ちゅん》の卦䷂が出た。それを史朝に見せると、史朝は『易経』をひもといて「『元、亨《とお》る』とあります。もうためらうことはありません」と答えた。孔成子は、「元は長の意味で、年長者つまり孟縶さまがよいということではなかろうか」と質問すると、史朝はまた「康叔さまがこの幼な子を元と名づけられたのだから、これこそ長者というべきです。それにうらないのことばには『侯《きみ》に建てるに利《よろ》し』ともあります。孟縶さまなら当然の世嗣ぎで、わざわざ『建てる』という必要はありますまい。あなた、どうか元さまをおたて下さい」とすすめた。こうして、孔成子の力によって元が衛の君主となった。

この話で、「元、亨る」といい、「侯に建てるに利し」といわれているのは、いずれも屯の「卦辞」である。つまり筮の結果屯の卦が得られたので、そのままその本卦の「卦辞」をとって占断したのである。六爻すべてが少陰少陽で、そこに変爻のない場合の最も簡単な占断法である。

卦象による占断法

変爻のない場合のやや複雑な方法は卦象による占断法である。これもまた『左氏伝』の例によって示してみよう。僖公十五年の条では、秦《しん》の国が晋《しん》を攻撃しようとして筮したことがみえる。筮の結果は蠱《こ》の卦䷑であったが、占い師の卜徒父《ぼくとほ》は大吉と判断して、次のように述べている。「蠱の卦は、内卦は巽《そん》で風の象《しょう》、外卦は艮《ごん》で山の象です。季節は今や秋ですから、身方が山の実を吹き落し山の材木を伐り取るかたちで、もちろん身方の勝ちです。実は落され材木は取られるとすれば、晋は敗戦があるばかりです」。戦争の結果は、その予言どおりであった。

　さてこの場合は、蠱の卦を構成する下半の内卦と上半の外卦との八卦の象によって判断したのである。卦象で占断する場合は、内卦を貞《てい》とよび、外卦を悔《かい》とよぶ。内卦が先であり、わが身であるのに対して、外卦は後であり、他人である。だから、この場合にも内卦巽☴の象である風を身方の秦のこととし、外卦艮☶の象である山を敵の晋のこととして解釈したのであった。

変爻のある場合

　以上は蓍をきって得られた六爻がみな少陰・少陽の爻で、変爻のなかった場合のことであるが、老陰・老陽の変爻がまじることになると、今度はやや複雑になる。『左氏伝』僖公二十五年の条で、秦が周の天子を助けて軍を起こそうとした時の筮が、その例である。得られた卦は大有《たいゆう》䷍であったが、ただ第三爻が老陽であった（䷥）。つまり、第三爻のために四本ずつきった蓍は三十六本で、余りは三変ともに少なかったのである。この変爻九三を持つ大有の卦は、はたしてどのように占断されるであろうか。

『左氏伝』ではこれを「大有䷍が〔変わって〕睽《けい》䷥に之《ゆ》く」と表現している。大有の変爻が陽から陰に変化した形の卦を求めると、それは睽の卦である。この睽の卦のことを、大有の本卦に対して、之卦《しか》とよぶ。『易』をひもといて占断するには、この本卦と之卦との「卦辞」・卦象と、本卦の変爻の「爻辞」などを参照して考えなければならない。

秦の易者はこう占断した、「吉です。『殿さまが天子からごちそうを受ける』という卦です。戦争に勝って、天子がそれをねぎらってもてなされるわけで、これ以上の吉はありません。それにこの卦では、天が沢に変わって日を受けているのです。つまり天子がへりくだって殿さまをお迎えしているのです。すばらしいではありませんか」。

易者が最初に引いたことばは、大有の九三の「爻辞」、つまり問題の変爻の「爻辞」である。「公、用《もっ》て天子より享《きょう》（饗）せらる、小人は克《た》（耐）えず」と『易』

にはある。次に「天が沢に変わる」というのは、大有の内卦の乾☰が変爻によって兌《だ》☱に変わったことを、その卦象についていったもので、それが「日を受けている」というのは、外卦の離☲の象が日だからである。乾の天を天子に見立てたことは、もちろんいうまでもない。ここでは、本卦《ほんか》と之卦《しか》の卦象と、変爻の「爻辞」とによって、この易者の占断が成立していることがわかる。

ただ、変爻は一つとは限らない。二爻以上、場合によっては六爻全部が変爻という時もあるだろう。この場合の処置については、たとえば朱子の『易学啓蒙』では、本卦の二変爻の「爻辞」をみて上位のものを主にするといい、また三変爻の場合は本卦と之卦との「卦辞」をみるなどと、こまかく規定している。しかし、それが古い占法に合わないことは海保青陵の弁じたとおりで、『左伝正義』でも、二変爻以上はどの「爻辞」をみてよいかわからないから、「爻辞」にはよらないで「卦辞」にたよれ、と述べている（襄公九年の条）。二変爻以上は、本卦と之卦の「卦辞」を参照して占断するのが、古い占法であろう。

硬貨で卦を求める——簡略法

さて、これで、うらない方の筋書きは、ひととおり終わった。五十本の筮竹を用意して、以上を熟読しながら試みていくなら、だれにも易筮は可能なはずである。巻末には、「爻辞」までは載せられなかったが、「卦辞」の方はさがしやすい順序に並べかえて翻訳してある。筮竹の操作で卦が得られたら、それに対照してみて、本卦だけでも一定のうらないの結果は出るだろう。

ただ、筮竹をきって十八変もくりかえす本筮のやり方は、いかにも煩瑣で時間もかかる。そこで簡便を求める人びとのためには、幸いにもまた略式の方法がある。それは、三枚の硬貨を同時に空中に投げて、その裏表で陰陽を決めるやり方である。一回投げて一爻ができるから、六回くりかえして卦が得られるわけである。擲《てき》銭法《せんぽう》つまり銭を投げる方法といって、かなり古くから行なわれており、漢のころに始まったとされる火珠林の法というのもこの類であるらしい。もったいをつけるためにいよいよ煩瑣にしていく人もあれば、めんどうなことを嫌って思いきった簡略に従う人もいるのは、いつの世でも同じことである。

唐代に作られた『儀礼疏』（冠礼）によると、銭を三枚とも裏にしたのが老陽、その逆が老陰、二枚が表で一枚が裏なのが少陽、その逆が少陰だといって、爻の画き方の代用にしたと述べているが、おそらく擲銭法の場合もそのとおりであったろう。宋代では、『朱子語類』（巻六十六）にも「このごろの人は蓍《めどぎ》をきるかわりに三枚の銭を用いる」といわれているように、この簡略な方法は広く普及していた。変爻を考えることもめんどうであれば、銭は一枚でも足りる。表裏でただ陰陽を決めればよいであろう。が、そこまでいくと、易の妙味はほとんど失われてしまう。[*1]

厳粛な儀礼として

実は、上に述べた占筮の方法は、その筋書きだけを、手品の種あかしのように書きつらねたものである。占筮は元来が神秘にかかわることであるだけに、もっと厳粛な儀礼とともに行なわれるのがふつうである。いま朱子の「筮儀《ぜいぎ》」によって、そのもようの一端を示してみよう。

まず清浄な場所を選んで蓍《めどぎ》の部屋を設ける。戸口は南である。部屋の中央に机

（長さ約一・五メートル、幅約〇・九メートル）を置く。座席は机の南側で、北面することになる。蓍五十本は赤い絹布で包んで袋に入れ、それを竹か木で作った円筒の容器に納めて蓋をする。倒れないように台をつけて、机上の北側に立てて置く。次に、その手前、つまり机上の中央からやや北よりのところに格《かく》という衝立《ついたて》のような横板に足をつけたものを立てる（高さ約三十センチ、長さはほぼ机の長さ）。これは蓍を立てかけるのに使うもので、中央に二つの大きな切り込み（四十九本を天地に分けたものを、ここに立てかける）、左の方に三つの小さな切り込み（三変それぞれの余りの蓍を立てかける）がつけてある。この格の手前には香炉一つ、香合一つを置いて、毎日香をたいて敬意をささげる。

いよいよ筮を行なう段になると、一層清潔にして、硯、墨、筆と、爻を画くための黄色の漆《うるし》の板とを、机上の香炉の右側に並べる。易者は、はらい清めた衣冠をつけ、手を洗い、おもむろに香をたいて敬意をささげる。さて、両手でうやうやしく蓍の筒をとると、蓋《ふた》をとって格と香炉の間に置き、筒の中から蓍を取り出すと袋と布をはずしてそれらを筒の右側に置く。五十本の蓍は両手で香炉の上にかざして煙に当て、そこでうらないのことばを述べる。

「なんじ、常理ある大いなる筮に頼る。なんじ、常理ある大いなる筮に頼る。それがし（官姓名をいう）今しかじかの事（具体的に述べる）につきてその可否《よしあし》を知らず、その疑問を神霊におたずねする。吉か凶か、得か失か、悔《かい》（後悔）か吝《りん》（小悪）か、憂《うれい》か虞《おそれ》か。ねがわくは、なんじ神力あれば、明らかにこれを告げたまえ」

そこで、はじめて右手で一本の蓍をとって筒のなかにかえし、さて四十九本の操作が始まるのである。

朱子のこの「筮儀」には、香をたくというような仏教儀礼の影響などもみられるが、おおむねは『儀礼《ぎらい》』『礼記《らいき》』などの経典に見える断片的な資料によって復原したものである。人知の限界をこえて未来を予測しようとするのであるから、敬虔の上にも敬虔な態度になるのは当然であろう。細部の点はともかくとして、正式の筮法を守るかぎり、だれもが大なり小なり「筮儀」のような敬虔な態度でのぞんだことは疑いない。中でも大切なのはうらないの命辞であろう。朱子のあげている形式は、ほぼ『儀礼』の「少牢饋食礼《しょうろうきしょくれい》」によったものであるが、先に衛の世嗣ぎを決める時に、「元さまが衛の国を受けて主君となられますように」と祈っていたのも、その例である。占筮が、ただ漫然と吉凶を求めるものではなく、現実の具体的な事がらについての可否を問うものである以上、それがうらないの本質的な部分にかかわる主要な出発点であることは、いうまでもない。

占断のむずかしさ

ところで、占筮の困難さは、実はそうした形式的なことにあるのではない。筮儀がめんどうだといっても、要するに書かれてあるとおりに行なえばよい。蓍をきることも同じである。煩瑣だとはいっても、時間をかけて、ていねいにやりさえすればできる。困難なのは、やはり得られた卦についての占断である。

先にあげた『左氏伝』の例では、世嗣ぎの君主についてうらなうと、「侯《きみ》に建てるに利《よろ》し」という「卦辞」が出た。また天子を助けようとてうらなうと、「殿さまが天子からごちそうを受ける」という「爻辞」が出た。いずれも、いかにもぴったりした答えである。しかし、いつもこんなにうまくいくとは限らない。むしろ、結婚問題をうらなったのに訟（訴訟）の卦が出たり、国事をうらなったのに家人の卦が出たりするような、見当はずれの結果になることのほうが多い。そこで、占断は主として占い師の解釈いかんにかかってくることになるのである。

先の衛の世嗣ぎの場合を思い出していただこう。屯《ちゅん》の卦の「元亨」ということばを、史朝は「元は亨《とお》る」と解釈して、幼ない元をもちあげた。もちろん、それは史朝の当意即妙である。本来の「卦辞」の意味は「元《おお》いに亨る」と読むべきもので、衛の妾腹の子の名として元の字はあったのではない。だからこそ、孔成子は「長男のことではないのか」といぶかったのである。占断には、この史朝の場合のような思いきった解釈も必要であった。しかし、それはまた判断を誤らせる原因でもあった。占断は、当面の現実の問題と、画き出された卦とを突き合わせて、慎重に行なわれねばならない。

南北朝時代の北斉に、趙輔和《ちょうほわ》という易の名人がいた。ある時、父の病気を心配する一人の男がやってきて、輔和と同居していた易者にそのことをうらなってもらった。筮の結果は泰《たい》の卦䷊が出た。易者がいうには、「この卦はとてもよい卦だ。病気はきっと治るよ」。確かに、一般的にいって泰の卦は吉とされ、その反対の否《ひ》の卦䷋は凶とされる。天（乾）は上に昇り、地（坤）は下に降るものであるから泰では天地がくっつき、否では離れる、というのがその説明である。男が喜んで帰ったあと、趙輔和はその易者に向かってこういった。「泰の卦は乾が下で坤が上だ。してみると、父（乾）が土（坤）の中に入ったことになる。どうして吉といえようか」。まもなく、男の父が死んだという報せがやってきた（『北斉書』方伎伝）。

足はなくても舟で帰る

もう一つ、これはまったくの作り話ではあるが、やはり占筮の一つの例としてよかろう。孔子が門人の子貢を使者として旅に出したが、期日になっても帰ってこない。そこでうらなってみると、鼎《てい》の卦䷱が出た。それも九四の変爻䷱である。鼎の九四の「爻辞」には「鼎《かなえ》（ものを烹る三本足の容器）の足が折れた」とある。門人たちは、みなそれにもとづいて、「足がないのですから、子貢はしばらく帰ってこないでしょう」といったが、顔回《がんかい》だけはそれを聞くと含み笑いをした。孔子が「回よ、お前どうして笑うのかね」とたずねると、「わたくし思いますに、彼はきっと帰ってくるでしょう。足はなくても、舟に乗って来ますから」と答えた。舟というのは、鼎の卦の下半の内卦は巽《そん》の卦で、巽には木の象《しょう》があるからそれを舟に見立てたわけである。つまり、顔回は「爻辞」だけを見るのでなく、卦の形にも注目して、総合的な判断を下したのであった。はたして、子貢はまもなく帰ってきた（『北堂書鈔』百三十七所引『韓詩外伝』）。

これらの例をみると、卦が定まってからあとに実は大きな困難のあることが、よくわかるであろう。「卦辞」や「爻辞」をみて、その一般的な解釈をとるだけでなく、その時その時の実際の状況に応じて適切な判断を下す必要がある。杓子定規の適用では意味がない。適切な連想や類推や、あるいは敷衍解釈によって「経」を解釈し、疑問を抱く者を説得するだけの力を持たなければならない。それは、深く易の道理に通じるだけでなく、さらに人生経験も豊かで、どのような事態にも誤りのない判断を下せるような人物によって、はじめてできることだともいえる。すぐれた易者はなかなか得がたい。

話がここまでくると、占筮は結局うらなう易者の問題だということになってくる。へぼ易者にかかっては、せっかく出た卦の判断もでたらめなものになってしまう、ということである。つまり、易は神秘な技術から一転して人間の合理的な営みへと変わるのである。この方向がさらに徹底すると、易は占筮よりも義理を主としてみられることになるであろう。が、そのことに入る前に、いま少し占筮についてみておくことにしたい。

注

＊1　わが国で行なわれてきた略筮法として、また一種の方法がある。本筮と違うのは、本筮で四本ずつ数えるところを八本ずつ数え、左手分の残りと小指にはさんだ一本とを加えて、その数で直ぐに八卦を画く点である。全部割りきれて小指の一本だけの時は乾、二本の時は兌、三本ならば離、四本ならば震、五本ならば巽、六本なら坎、七本なら艮、八本なら坤とおく。これを二度くりかえすと、内卦と外卦が得られて、六爻の本卦ができたことになる。本筮に比べて

坎下乾上卦の形について、剛健（乾）と険（坎）との組み合わせが訟の卦であるぞと、八卦の二つの卦徳に従って解説した――

「訟は孚《まこと》あるも窒《ふさ》がる。惕《おそ》れつつしみて中なれば吉」とは、剛来たって中を得ればなり。

――内卦下体☵の中央つまり九二の剛爻によって「卦辞」を説明した――

「終えれば凶」とは、訟は成《なしと》ぐべからざればなり。

「大人を見るに利《よろ》し」とは、中正を尚《たっと》ぶなり――外卦上体☰の中央つまり九五の爻によって「卦辞」を説明した――（下略）

初六　象に曰く、「事とする所を永《なが》くせず」とは、訟は長くすべからざればなり

……

九二　（略）

六三　象に曰く、「旧徳を食《は》む」とは、上に従いて吉なるなり――六三の柔爻が上九の剛爻に応じて従順なことをさす――

九四　（略）

きわめて簡便である。さらに変爻を出すためには、四十九本を二分し、右の一本を左の小指にはさむと、こんどは左手分を六本ずつ数える。残りが一本なら初爻が変、二本なら第二爻が変、三本なら第三爻、四本なら第四爻、五本なら第五爻、六本なら上爻が変爻ということになる。

二——亀卜と占筮

易以前のうらない——卜

易は、元来うらないの技術として発達したものである。しかし、広く知られているように、中国では、それよりももっと古く、また権威のあるうらない方として、卜《ぼく》があった。卜筮ということばは、本来二つを併称したことばである。そして、易が周易とよばれて周代を代表するように、卜は紀元前十二世紀以前と推定される殷《いん》王朝を代表するものであった。

殷王朝は神政時代である。そこでは、祭祀、狩猟、軍事といった国家行事のすべてについて、また十日ごとの区切りの吉凶や稔《みの》りの豊凶、それに天候などについても、すべて神意をうらなった上で、事を決した。その神意をうらなう方法が卜である。亀卜《きぼく》ともいわれるように、それは亀の腹甲《ふっこう》を用いるが、また多くは牛の肩胛骨《けんこうこつ》である。それを磨いて一点を掘りくぼめ、火であぶって熱をそこに集中させると、甲骨はそれを中心として表面に亀裂を生じる。卜という字は、そもそもこの割れ目のもようにかたどった文字である。この亀裂を卜兆《ぼくちょう》といい、卜者はそれをみて吉凶をうらなった。そして、うらなった事がらを卜兆のそばにしるしたものが、今日、卜辞とか甲骨文とよばれているものである。特に亀や牛を用いた理由は、はっきりしない。後漢の『白虎通』などによると、亀の寿命は長いからだというが、はたしてそうであろうか。理由ははっきりしないが、蓍《めどぎ》の時にも述べたように、それらが神意を伝えるにふさわしい神聖な意味を持っていたことは、まちがいなかろう。

うらないをつかさどるシャーマン

ところで、この卜の操作をあつかって、神と人との媒介にあたるのが、巫《ふ》である。わが国では、「ミコ」「カンナギ」とよばれるのがそれに当るが、もっと適切には、古代から北方アジアにひろがっているシャーマニズムのシャーマンこそが、それである。殷の時代では、神政時代であるから、当然のことに巫の社会的地位は高かった。宰相として巫咸《ふかん》という人物がいることも、それを示している。しかし、そういう時代では、また巫の数も多く、種類も雑多であった可能性がある。うらないの仕方もまた、今日に伝えられた亀卜の方法だけではなかったであろう。

殷王朝の統一は、もちろん諸部族の統率の上にある。殷王朝の最高神は、殷の祖先神の中心である上帝であるが、卜辞ではその他に多くの神々の存在を伝えている。その中には多くの自然神とともに他部族の守り神も含まれているのであろうし、それだけにその神意をうかがう方法ももともと違ったものがあったであろう。同じ占卜にしても、北方で鹿を使い、西方で羊を用いた例があるというのは、そのことを証明するものにちがいない。殷王朝がそれらを統制して、国家行事のうらないを単一なものにしたまでで、国家的でない次元の低いうらないは、いろいろの形で存続し得たことであろう。そして、そういう土壌のなかから、やがて殷の滅亡のあとをうけて易筮の方法が生まれたのであろう。

ここで、筮という字が巫の字をその構成要素として持っていることに、注目しよう。この字は卜辞にはまだあらわれない。筮は、必ずしも今日の易筮そのものを意味するとは限らないが、おそらく巫によって発達してきた一種のうらないであることはまちがいない。それは竹と関係していたのであるが、蓍に関係するうらないと混合したのである。いずれも神聖な植物として、それぞれに特定の神意を伝えるものと考えられていたのであろう。そして、その用い方が本来どういうものであったかは、よくわからないが、のちの易筮への発達から考えると、それでごく簡単な聖数をあらわして、うらないの資料としたものでもあろう。

数の神秘

古代人にとって、数はそのまま神秘であった。奇数と偶数との関係、加倍の法、その序列と循環などは、おそらく数として抽象的に考えられる以前から意識の上にのぼって、呪術的な神秘性においてみられたことであろう。たとえば、後世のこと

河　図

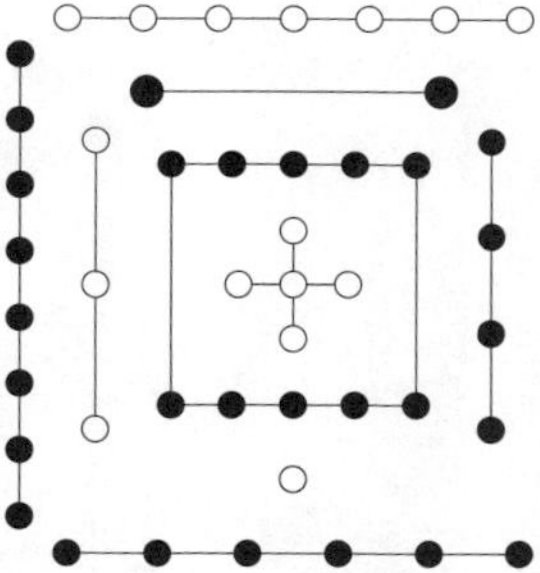

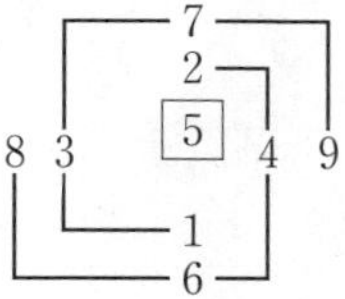

7＋3－9＝1
7＋3－1＝9
6＋4－8＝2
6＋4－2＝8
9＋7＋3＋1＝2＋4＋6＋8

ではあるが、礼の決まりでは、人の死後三日で殯《かりもがり》をし、三ヵ月で土葬にし、三年で忌《いみ》あけになるというように、三の数が用いられたり、また「天子は七つの廟《みたまや》、諸侯は五つの廟、大夫は三つの廟、士は一つの廟」というように、奇数を用いて等級の区別をしたりすることがふつうであった。そこになんらかの数の呪術的な意味があったと考えてよい。

いったい、数の問題としては二から三への発展に大きな意味がある。自分と他者

洛　書

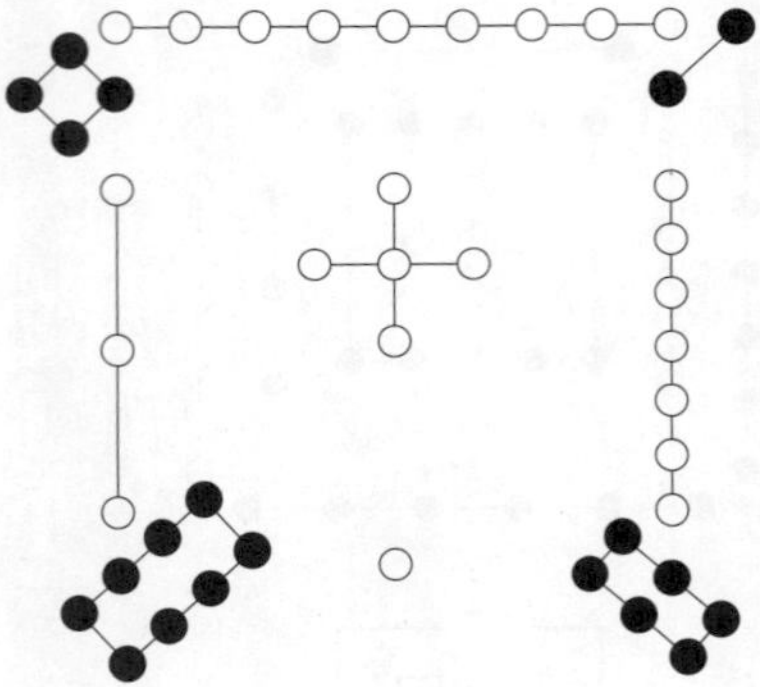

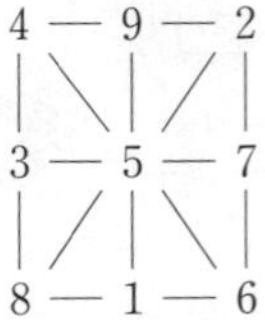

九宮魔方陣

という二つの対立は、まず素朴な古代人の意識にも早くのぼりやすい。しかし、そこから第三者の存在を考えてそれを独立した一とみることは、大きな飛躍である。『老子』の生成論でも、一が二を生み、二が三を生んで、そこから万物が生まれると説くのは、やはり三の重みを意識したものだと思う。その意味では、易が、二つの符号を三つ重ねることによって八卦を構成しているのは、興味深い。

朱子の『周易本義』のはじめに、「河図《かと》」「洛書《らくしょ》」というものがつけられている。『易』の「繫辞伝」に「黄河から図があらわれ、洛水から書があらわれて、聖人はそれを手本にした」とあるのにもとづいて作られたものである。

この図表はもちろん後世に考え出されたものである。ただ縦横対角の和が十五になる洛書の形は、いわゆる九宮魔方陣で、すでに漢代の『大戴礼《だたいれい》』明堂《めいどう》篇にもみえている。明堂という神秘的な方形の建物を井字型に九分した部屋にそれぞれの数をつけたものである。それがそのまま易の作られる前にもあったと考えるのは、もちろん行き過ぎであるが、数に対する古代的な神秘観の遺存としてみることは、許されるであろう。

亀卜と占筮の違い

「筮は数である」と『左氏伝』（僖公十五年の条）にはいわれている。『易』の「繫辞伝」はまたそのことを特に強調しているようで、その趣きの一端は筮法の説明にもあらわれていた。しかし、そうした説明を待つまでもなく、反対の二つの符号の何度かの組み合わせというその構成そのものが、数の観念と密接に関係していることは、見やすいことである。易のうらない方が、「繫辞伝」にみえるように整備されるまでには、もっと原初的ないくつかの段階があったはずであるが、易筮としての特色に連なるものは、そもそも数の神秘、あるいは数の魔術ともいえる観念から出発している、と考えてよいであろう。

亀卜と占筮との決定的な違いは、ここにある。それらは、ともにうらないであるからには、神の意思をうかがう呪術性を本質としていることでは、まったく一致する。けれども、時代の進展とともにそうした宗教性が薄れてくると、どういうことになるか。

占筮が数に関係していることは、神との呪術的な関係を離れても、何か科学的な操作であるかのように錯覚させる力を持っている。つまり、それは宗教性の薄れた時代になっても、存続できる条件をそなえている、といってよいであろう。事実、易筮はそのように合理的な解釈を下されながら、ついには儒教の経典にまでなったのである。

亀卜はそうではない。それは神意の啓示が直接的であるだけに、本来、より強度の宗教性に支えられる必要があった。周の時代になってから亀卜が急速に衰えて筮に変わられたのは、もちろん亀甲が得にくいというような外面的な事情もあったではあろうが、主としては、このあたりにその理由があったのであろう。そして、占筮が主流になった春秋時代になってからも、まだ占卜をしている例はある。「筮は短で、亀は長だ」といって、亀卜をより重く見なしたことばも伝わっている（『左氏伝』僖公四年の条）。そういう風潮はなお後世にも残っていくが、それはもはや亀卜の古代性と稀少価値によるものとして、よいであろう。

人間的な自覚が合理性を要求する

実際、『左氏伝』のなかでは、人間の意志や倫理的な自覚が、しばしば神意のあらわれとしてのうらないを拒否し、あるいは制約するものとなっている。楚《そ》の霊王は天下を征服しようとして亀卜し、その結果が不吉と出ると、亀甲を投げすてて天をののしり、「こんなちっぽけな天下をくれないというのか。おれは自分で取ってみせるぞ」と叫んだ（昭公十三年の条）。また邾《ちゅ》の文公は都を遷そうとして亀卜したところ、「人民には利益があるが、主君には不利だ」とうらなわれた。文公は「人民に利があるなら、自分にとっても利があるはずで、これ以上の吉はない」といって遷都した（文公十三年の条）。人間的な自覚の発展は、こういう反逆をますます盛んにしていくだろう。そして、占筮の方法もまた、次第に複雑なものとして整備され、やがてまた合理的な説明づけをも必要としてくるのである。

神聖な植物とされた蓍や竹で聖数を画き出してうらなった筮法は、おそらく奇数と偶数との組み合わせによって八卦を画き出した段階で、一応の完成をみたのであろう。やがて、それが六十四卦に重ねられ、筮法も複雑になったが、「卦辞」や「爻辞」がつけられることによって、その合理性を増していった。そして、『易経』として儒教の経典となることができたとき、易の占筮の方法は、ついに他のもろもろのうらないを圧して、中国の知識人に表立って受け入れられる正統的なうらないの方法となった。

三——中国の知識人と占筮

いろいろなうらない

亀卜や占筮のほかにも、うらないの方法としてはまだまだたくさんの種類があった。前漢の末、というのはほぼキリストの生まれる数年前であるが、勅命によって宮廷で図書目録が作られた。[*1] それは六つの部門に分類されていて、そのなかに「数術」という部門がある。そこでは亀卜と占筮とに関する書物は「蓍亀《しき》」としてまとめてあるが、そのほか占夢（夢うらない）、星算（星うらない）、推歩（天文のうごきによるうらない）から、相衣器《そういき》（衣服や道具によるうらない）、相宝剣刀、相人（人相うらない）、相宅、相地、相六畜（家畜うらない）などの書が載せられており、なお著録されてはいないけれども、風角という風の方角や音によるうらないも当時にはあり、やや遅れては鳥鳴などという鳥の鳴き声でのうらないもあった。占夢と占星の実例はすでに『左氏伝』にもみえている。うらないは、折りにふれ、事に応じて、古くからさまざまな形で存在したのである。

こうした雑多なうらないは、民間の呪術的な迷信と結びついて、ずっとのちの新しい時代に至るまで、盛んに行なわれた。ある時には、それらは易筮と結びついて利用される場合もあった。

しかし、中国の伝統的な知識人にとっては、それらの雑占は要するに易のうらないとは比較にならない、はるかに程度の低い迷信そのものと考えられた。うらないとしての本質に違いはないのに、なぜそのような差がつけられたのか。その理由は、何よりも『易』が聖人孔子の手を経て編纂され、五経の一つになっているという儒教の権威によるものである。しかし、また先にも述べたとおり、易筮の数的なメカニズムが、その本質としての神秘的呪術性を忘れさせ、あたかも合理的な科学的体系にもとづくものであるかのような錯覚を起こさせるところに、大きな原因があったかと思われる。

歴史的にみればもちろん変化はあるが、中国の正統思想である儒教は、本来合理主義的な思想であった。ただ合理主義ということばの内容はひろくて、もちろんそれをさらに定義づける必要があり、西洋近代のそれと比べて限界のあることも、いうまでもない。私はそれを現実的合理主義とよぶのだが、いいかえればこの現実の人間生活を第一にすえた合理主義である。はっきりした人間の問題に思考を集中して、それ以外の神の問題とか自然の問題とかいう、あいまいな疑問の多い世界には踏み込まないという合理主義である。

孔子の合理主義

有名な孔子（前五五二―前四七九）のことばに、「鬼神を敬してこれを遠ざく、知というべし」というのがある（『論語』雍也篇）。このことばほど、孔子の合理主義の性格をはっきり示すものはない。鬼神を遠ざけるというのは、神秘的な存在に懐疑的で、それを正面きって問題にするのをさけることである。それは、孔子が鬼神へのお仕えよりは人へのお仕えがたいせつであり、死後の問題よりは生の問題がたいせつだと述べたり、また「怪異や力わざや背徳や神秘は口にしなかった」といわれていることなどと同じで、まぎれもなくはっきりした合理主義の立場を示している。しかし、ここでまた「鬼神を敬して」といわれていることが問題で、敬するというからには、鬼神の存在を認めてそれをはばかる心情があったとみるべきである。おそらくそれは、孔子にとって、理性の問題であるよりは心情の問題であったろう。が、いずれにしても、孔子の合理主義は現実をこえた世界までもまっすぐのびていく性質のものではなかった。

この、あいまいな疑わしいものをそっとしておくという態度、それを究明してはっきりさせようとするよりはただ冷淡に対処することが理性的だとする態度は、不可知の世界を不可知としてはっきり残すことである。「知るを知るとし、知らざるを知らざるとする」(『論語』為政篇)というのは、そのことである。孔子にとっての「天」の存在は、まさにそうした不可知の世界の中心をなすものであった。そして、それは高い倫理性を根柢から支持するものともなったが、反面ではまた低俗な呪術的迷信を儒教のなかにすべり込ませる契機ともなった。つまり、儒教は神秘や不合理に対する警戒を一方では強度に持ちながら、それらをきびしく拒否するよりは、むしろある程度まで社会通念に従っていく寛容さを持っていたのである。

朱子の受け取り方

宋の朱子は、孔子から千六百年もあとの合理主義者で無神論者であったが、この点についてはほとんど同じことであった。彼は、蜥蜴《とかげ》が山の上から雹《あられ》を降らすという俗信について質問された時、ほぼ次のように答えている。「自分の親友の某《なにがし》はめったにうそをつかない信用のできる男だ。この男が山の上でたくさんの蜥蜴があわをふいているのを見かけたが、山から里に下りてきてたずねると、ちょうどそのころに雹が降ったという。この話を信用すると、おそらく蜥蜴が降らすということもあるのだろう」（『朱子語類』巻二）。

朱子の理性は、もちろん、そうした俗信を信ずることを許さない。彼には独自の合理的な自然哲学があったからである。しかし、それにもかかわらず、彼はその迷信を拒否することなく、信用できる友人の証言だからというだけで、消極的にではあるが、それを容認したのである。合理主義としては不徹底で限界がある、というべきであろうか。それは、要するに、科学的合理主義とは違う異質の合理主義であった。

『易』が儒教の経典となったのは、もちろんそこに合理的な検証に耐えるだけの思想性があったからである。しかし、『易』のうらない——神秘的な呪術にかかわる技術までも、まるがかえにしたのは、先にみたような儒教思想の茫漠とした寛容性のためであった。だから、中国の知識人たちは、『易』を読んでも、ふつうは占筮だけを積極的に強調したりはしない。漢の厳君平は隠者として有名であるが、生活の資として売卜をした時も、ただ未来をいい当てるというだけでなく、それにつれて道徳的な訓言を与えたという（『漢書』王貢両龔伝）。そういううらない方が知識人の理想であった。朱子は、『易』について占筮の書としての性格を強調した人であるが、「後世の儒者が卜筮の説を卑《いや》しんで語るにたらず」とするのもよくないことだが、また「見識のない卑俗な者がそれに深入りして執着する」のもよくないと警戒し、「だから易はむずかしい書物だ」といっている（『朱子語類』巻六十六）。一般には、ここでいわれるように、儒者の合理主義は占筮を卑しめていたのである。しかも、その合理主義はまた占筮を否定することもしない、いや経典の一部として否定しようもないもの、他の雑占に比べて格段にすぐれたうらないとして容認したのである。

陸羽の用い方

ここで、中国の知識人たちの占筮のもようをみておこう。

有名なのは、『茶経《さけい》』を著わして茶道の元祖とされてきた唐の陸羽《りくう》のことである。この人は捨て子であったが、水のほとりでひろわれたというだけで、生まれも氏名もまったく不明であった。成人してからのち、自分で筮をしてそのことをうらなってみると、「蹇《けん》䷦、漸《ぜん》䷴に之《ゆ》く」と出た。つまり、本卦が蹇で、その上六が変爻であったから、それが陰から陽に変わると之卦《しか》の漸が得られるという卦である。ふつうなら、蹇の上六の「爻辞」がまず中心になるわけであるが、陸羽はこの場合、おそらくはあれこれと考えたのであろうが、結局、之卦である漸の上九の「爻辞」を採用した。しかも、それは生地や祖先をさぐり当てるといったものではない。自分の氏名をそれによって決めたのである。漸の上九では「鴻《おおとり》が陸まで漸《すす》（進）んだ――鴻漸于陸――。その羽を用いて威儀をおさめることができる。吉」

とあった。氏は陸、名は羽、そして字は鴻漸《こうぜん》というのが、彼の選んだ文字であった。易筮にはこういう用い方もあるという、一つの好例である。陸羽がはじめから名を決めるつもりで筮したのか、それとも出生のなぞを解こうとしてうらなったのを転じたのか、いずれともはっきりしないが、おそらくは前者であろう。そのうらないは、神だのみ的なうらないではない(『新唐書』隠逸伝)。

死期を予知する

もちろん、同じ「隠逸伝」には、うらないの本質としての未来の予知にかかわることも見えている。衛大経という人は、世人から「易聖」とさえいわれた名人であったが、自分の死ぬ日をあらかじめうらなって自分で墓を作り、その予言どおりに死んだという。同じような話は他にも見える。『後漢書』の「方術伝」では、折像という男が京氏易に通じてやはり自分の死ぬ日を知り、いよいよとなると友人や親威を集めて酒宴をひらいた上、お別れのあいさつを述べて忽然《こつぜん》として終わったという。ここでは、自己の運命に対する達観がある。それは、もはや単なる占筮の技術や神意をこえたものといってよいであろう。

魏《ぎ》の管輅《かんろ》は数々の逸話を伝える占筮の名人である。彼が神怪をうらなって解決したいくつかの話は、『捜神記《そうしんき》』という六朝の怪談小説にも取り入れられている。その彼もまた、自分の死期を予知して泰然とそれを迎えたのであるが、ある時、高官の鍾毓《しょういく》とのあいだで次のようなやりとりがあった。まず管輅が「君の生死の日をうらなってみよう」と申し出て、鍾毓はためしに自分の生年月日をうらなわせたのである。しかし、それがぴたりと当てられると、鍾毓はさすがに顔色を変えた。管輅はすかさず「死も生も一つの路です。自然は終わってまた始まります。何を恐れることがありましょう。筮でうらなうからには、どこまでも天意をうかがおうではありませんか」とすすめる。鍾毓はそれに答えて、「生は好ましいこと、死はうとましいこと。死生をひとしいと考えるほど、私はまだ達観していない。私の運命は天にまかせよう。あなたのうらないにはまかせません」。

運命を達観して占筮の結果に動じない管輅もりっぱであるが、また自分をわきまえて自分の運命は天にまかせるといいきった鍾毓もりっぱである。もちろん、ここにはうらないにふりまわされる人生はない（『三国志』魏志方技伝注、管輅別伝）。

易者と知識人

南北朝時代の梁《りょう》の阮孝緒《げんこうしょ》は、風流高潔の隠者として有名であった。ある時、易者として評判の高い張有道がやってきて、「君の隠者ぶりはなるほど見事だが、心はどうだろう。うらなってみないとわからないぞ」という。筮竹をきって第五爻までくると、⚊⚊⚊⚋⚋の形が出た。「あとに陰⚋が出て咸《かん》の卦䷞になるぞ。咸は世間と感応する形で、隠遁のしるしではない」と張有道はさけぶ。阮孝緒がやはり心のなかで名利を絶ち切れないでいる証拠ではないか、というわけである。阮は答えた、「いや、あとの一爻が逆に陽にならないものでもあるまい」。はたして、そのことばどおり陽が出て、遯《とん》の卦䷠となった。しかも老陽で、つまり上九の変爻である。張は感嘆すると「これこそ『肥遯《ひとん》、利《よろ》しからざるなし』（遯上九「爻辞」）だ。この卦の形は君の徳にぴったり、やはり君は心と行状と一致していたね」といった。肥遯というのは、ゆったり余裕のある隠遁、もはや世俗とはまったく心を絶ち切った悠々自適の隠遁である。張有道が感嘆したのももっともであった。しかし、阮孝緒の志はさらに高い。「隠遁の卦は得られたが、上九の爻は登仙の道を示してはいない。仙人にはなれそうもない。まずは俗世間を高く離れて暮らすことだ」(『南史』阮孝緒伝、『梁書』も同じ)。

売卜を業とするものがすでに漢のころからあったことは、先の厳君平の例でもわかる。『史記』の「日者列伝」では司馬季主という者が都の長安の東市で売卜していたことがみえる。そういう仲間には俗にこびるいかがわしい者もいたことであろう。しかし、厳君平も高尚な人であったが、唐の則天武后の甥にあたる武攸緒《ぶしゆうしょ》なども恬淡無欲の人で、易を好むあまりに姓名を変えて長安の町で売卜し、銭が入ると捨て去ったという。北宋の売卜者についてはこういうのがある。真宗から仁宗時代まで次つぎと宰相になった人びとの若いときの逸話である。都の開封で相国寺に遊びに行った彼らは、偶然にも同じ易者の店で将来をうらなった。まず張士遜《ちょうしそん》と寇《こう》準《じゅん》とが連れ立って行くと、易者は「二人とも宰相になります」とうらなった。外に出た二人はちょうど張斉賢《ちょうせいけん》に出会ったので、彼もまたうらなわせることになって、やはり宰相と出た。あとから王随《おうずい》もまた出かけた。易者はすっかり驚いて、「一日のうちに四人もの宰相が出た」と嘆息したが、若い四人は顔を見合わせて心に期するところがあった。しかし、易者の方はそれからというもの、おそらく自分でも自信をなくしたのであろう、世間の評判も悪くなってさっぱり客が来なくなり、とうとう店はつぶれて餓死してしまった。うらないどおりに宰相になった四人は、易者に同情して伝記を書き残そうと企てたという(『宋人軼事彙編《いつじいへん》』巻六)。宋の繁華街での易者の店と、そこをたずねる知識人たちのありさまがよくうかがえるおもしろい話である。

占筮の話は、ひとまずここで終わることにする。話は占筮から義理の易へと展開することになるが、その中間で『易』が儒教の経典として完成するまでのその成立の歴史をみておきたい。なんといっても、私たちの手にする『易経』が、すべての中心である上に、その成立の歴史そのものが、すでに占筮から義理への展開を示すものだからである。

注

＊1　前漢末の劉歆《りゅうきん》が作った「七略」というのがそれである。現在は『漢書』巻三十「芸文志」として伝わっている。

III——『易経』の成立まで

一──伝説

易は三聖を経る

先にみた易の構成を、もう一度思い出していただこう。八卦とそれを重ねた六十四卦のかたちは、すぐあれだとおわかりであろう。八卦は三本の爻《こう》でできていたし、六十四卦は六本の爻であった。次には、その卦の説明である「卦辞（彖辞）」と、爻の説明である「爻辞（象辞）」との文章があって、そこまでが『易経』のなかの中心部としての「経《けい》」である。つまり易の占筮《めどぎ》にはここまでがどうしても必要であった。これによらないうらないは、いくら蓍をきったところで易のうらないとはいえない。この「経」に対して、「経」のはたらきを助ける「十翼《じゅうよく》」という部分があった。それは、直接に「経」の文を解釈する「彖伝《たんでん》」・「象伝《しょうでん》」と、それ以外の、種々の角度から全般的な解説を施す「繫辞伝」以下の諸伝とに分かれていた。

さて、このような『易』が、『易経』として、あるいは『周易』という名称で、私たちの手もとに伝えられている書物である。それは、どのようにしてできたのであろうか。そこには明らかにしにくい複雑な問題がある。しかし、その問題を解きほぐして『易経』の成立の事情を調べることは、実はそのまま『易経』の性質を知ることでもある。多くのすぐれた先輩の業績をふまえて、ここにそのあらましを見ることにしたい。

まず、『易』の成立については、有名な伝説がある。「易道は深し。人は三聖を更《へ》（経）、世は三古を歴《へ》たり」（『漢書』芸文志）といわれるのがそれである。易は三代にわたる三聖人の手を経て完成されたもので、だからこそ深意があるというのである。三人の聖人とは、包犧《ふっき》（伏犧）と周の文王と、そして孔子とであった。

伏犧・文王・孔子

伏犧というのは、まったくの伝説上の古帝王で、人面牛身であったとさえいわれている。文王は実在の人物で、周王朝の開祖であるが、王者としての十分な資格を持ちながら、殷の最後の暴君紂《ちゅう》に仕えて恭順であったという。この二人と『易』との関係が最初にみえるのは、『易』の「繫辞伝」である。そこでは、伏犧が天地の万象を観察してはじめて八卦を作ったといい、また易が勃興したのは殷末で周の徳がすでに盛んになった時、つまり文王と紂王との事に関係すると述べている。ただ、これだけでは、文王のしたことははっきりしない。そこで、司馬遷の『史記』からあと、これをうけてさまざまな解釈が出ることになったが、それをまとめて定論を下したのは、唐の『周易正義』である。すなわち、伏犧は八卦を作っただけでなく、さらにそれを重ねて六十四卦とし、*1 文王は紂王のためにとらえられて幽囚の身となったが、その患難のなかで「卦辞」を執筆し、文王の子の周公旦《たん》がそれを補って「爻辞」を執筆した*2というのである。

孔子（紀元前五五二―前四七九）については、『史記』の孔子世家が最初である。孔子が晩年に易を好んで、「韋編《いへん》三絶」――なめし革のとじ紐が三度も切れてしまう――ほど熱心にそれを熟読したというのは有名であるが、そのあとに、やや読みにくい記述なのだが、「序彖繫象説卦文言」という句がみえる。「彖を序し象を繫ぎ……」と読むのか、「序・彖・繫……」と離して読むのか、あるいは序の一字だけが動詞なのか、いずれにしても「十翼」の篇名にかかわることはまちがいない。そして、ここで孔子が晩年に易を好んだというのは、『論語』述而《じゅつじ》篇の「我れに数年を加え、五十にして易を学べば、大なる過ち無かるべし」という孔子のことばにもとづいたのである。そして、『漢書』になると、もはやはっきりと孔子が「十翼」を作ったものと定めている。

長年月、多くの人びとによって

易が三聖の手を経て作られたという伝説は、以上のようである。つまり、画卦と重卦が伏犠、「卦辞」「爻辞」が文王（周公）、「十翼」が孔子の作ということで、しかもこの三人の時代はそれぞれはるかに隔っているから、『易』の成立は、それだけ長い年月をかけて、優秀な人びとによってねりあげられたものだ、ということになるであろう。

もちろん、これは『易経』に経典としての重みをつけるために作られた伝説である。事実としての破綻は、文王の補助者として周公旦《たん》を登場させねばならなかったところにも、はっきりあらわれている。「爻辞」の中には周公の死後のことまでもまじっていることが、その後の研究で明らかになった。『易』の内容そのものが、三聖人の制作とする伝説をそのままでは受け容れられないことを示していたのである。孔子と易との関係にしても、『論語』のなかで「易」と読んだ文字は、別のテクストでは「亦」とあり、その意味で読むと「五十にして学ぶも亦《また》」となって、易とはなんの関係もないことになってしまう。そして、何よりも「十翼」の内容が多様雑駁で、特定の一人がそのすべてを書いたとみるのは、とうてい無理である。すでに北宋時代の欧陽脩（一〇〇七―一〇七二）は、『易童子問』を著わして「十翼」が孔子の作ではないことを喝破した。

「易道は深し。人は三聖を更《へ》、世は三古を歴《へ》たり」というのは、一つの美しい詩だとみなしておけばよい。儒教の経典としての『易経』の特別な重みは、この感動をこめたことばによって美しく輝き出たはずである。しかし、事実としての成立の事情ははたしてどのようであったか。

三種の易があった?

ただ、易の伝説としてはもう一つのことがある。それについても、ここで述べておかねばならない。それは「連山」「帰蔵」「周易」とよぶ三易の説である。

三易の名は、周の制度をしるしたとされる『周礼《しゅらい》』の中で、太卜《たいぼく》という卜筮の官がそれらのうらない方を掌《つかさど》ったとしてみえている。その後の注釈などによると、「連山」は伏犠あるいは神農から出て夏《か》の王朝で用いられ、「帰蔵」は黄帝あるいは神農から始まって殷王朝で用いられ、「周易」は列山氏あるいは黄帝から出て周の時代に用いられたという。要するに、その「周易」は今日に伝わる『易』のことだとして、その前に二つの古い易があったということである。

ただ、問題の「連山」や「帰蔵」がどういうものであったか、その確かなことはまったくわからない。後漢の鄭玄《ていげん》は、その名称について、「連山とは、山から出た雲が連なって絶えないありさまをかたどったもの、帰蔵とは、万物がすべてそのなかに蔵されているもの」などと説明するが、いかにも思いつきめいたことばである。三易を夏・殷・周の三代に配当することなども、鄭玄の注釈でよく行なわれる常套手段であって、格別の根拠があるとも思えない。

後漢初めの桓譚《かんたん》の『新論』には「連山は八万言、帰蔵は四千三百言」とあって、当時に一定の書物はあったらしいが、漢代の書目である『漢書』「芸文志」には載せられていない。その後、隋・唐の時代には「帰蔵十三巻」というのが伝わっていたが、おおむね偽作とされ、宋になってその残巻が民間から発見されたりもしている（『通志』「芸文略」）。

「周易」という名称は『左氏伝』にもみえていた。周代の易という意味に解してよかろうが、その内容は今日の『易』にほぼひとしい。しかし「連山」や「帰蔵」のほうは、古くそうしたものが存在した形跡にとぼしい。[*3]

易のうらない方が、そもそも初めから今日のように整ったものではなかったろうと思えることは前にも述べたが、この伝説は、そうした古いうらない方の存在を示したものとして、意味があるであろう。いわば、易のうらない方の発展途上の段階を、かりに三つに区切って、それを太卜の官の職掌として形式的に整理して示したまでである。「連山」とか「帰蔵」とかいう古い別の易がまとまった形で伝えられていた事実を示すものではないと考えてよいであろう。したがって、後漢以後にあらわれた同名の書物は、もちろん偽物である。[*4]前漢の末から後漢にかけて、一般に経典の解釈を神秘的に粉飾する緯書《いしょ》の流行をみたが、「連山」や「帰蔵」ももともとそうしたなかで偽作されたものであったかと思う。

注

＊1　重卦の人物については、『史記』は文王だといい、そのほか神農・夏の禹王などとする説もあったが、『正義』は魏の王弼の説に従って伏犠と定めた。

＊2　「爻辞」の作者として『正義』が周公を考えたのは、「爻辞」の文中に文王死後のできごとがあって、すべてを文王とすることができなかったからである。三聖のなかに周公の名を数えないのは、父の事業として文王によって代表させたのだという。

＊3　もっとも、『左氏伝』のなかには現在の『周易』の文とまったく違ったものが二条あり、清の顧炎武は「連山」「帰蔵」の文であろうと疑っている。ただ、他に部分的異同のある文も含まれているから、この二条も一律に『周易』の異文とみることも可能で、顧氏の考えも根拠のあるものではない。

＊4　偽作の「連山」や「帰蔵」の断片を集めた輯本は、清の馬国翰『玉函山房輯佚書』のなかに入っている。

二――「卦辞」と「爻辞」の成立

六十四卦が成立したころ

易はもともと八卦の構成から出発したものであった。それは亀卜のあとをうけて、数の観念にもとづくところにその特色を持っている。そして、原初的な易筮はおそらくこの八卦だけで行なわれたことであろう。いまの六十四卦の易をみても、その卦象はどこまでも八卦を基礎として考えられていて、八卦を中心とする考え方はきわめて強い。そのことは、八卦のまとまりだけでうらなわれていた期間が、ある程度続いていたことを示すものであろう。伏犧が八卦を画したという伝説も、この八卦の段階を一期としている点は承認されてよいことである。

おそらく、その段階ではまだ乾とか坤などの卦名というものもついていなかったのではないか。かりに⚊と⚋の二つの符号を男性的動的なものと女性的静的なものと考えていたとすれば、☰は全部が男性的動的であるから、父であり天であり、

☷はその逆で母であり地であるといった象徴の意味だけがあったのだと思う。やがて、卦を重ねて六十四卦が構成される。そして、爻の意味も考えられるようになると、易の仕組みは複雑な妙味のあるものとなった。

　卦名は、この場合にも、六十四卦の成立と同時につけられたものではなかろう。一般的にいって、卦名と「卦辞」「爻辞」との関係は密接であるから、むしろその成立も「卦辞」「爻辞」のそれと近い関係にあるとしてよいであろう。ただ、六十四卦の構成が数的にできあがってみると、その複雑な仕組みに説明を加える必要が起こってくるのも自然ないきおいであるから、重卦の六十四卦成立と「卦辞」「爻辞」の成立は、時間的にそれほど隔たるものではなかったと思う。

古い材料を配列

　さて、「卦辞」と「爻辞」とは、その表現や内容によく似た特徴があるので、それを一括して考えてよいが、伝説では文王と周公旦《たん》との合作ということになっていた。ただ、その内容は、最初から特定の人が六十四卦・三百八十四爻のために意図的に執筆した、というようなものではない。つまり、そのような整然とした内容ではなくて、むしろいろいろの材料を寄せ集め、足りないところを補って、要するに、数に合わせて配列したという、そうした趣きがある。

このことを最もはっきり物語るのは、「爻辞」のなかの卦名のあらわれ方である。たとえば、履の卦では「素履」「履道」「能履」「履虎尾」「夬履」「視履」と、初位から上位まで六爻すべてに履の字が出てくるが、このように整った例は六十四卦のうちわずかに十二卦で、しかもそのなかには同じことばをくりかえしたものも含まれている。そして、その他では五爻にわたるものが十五卦、四爻にわたるものが十五卦、三爻にわたるものが四卦……といったありさまで、その体裁はすこぶる不一致である。もし初めから六爻の形に合わせて新しく筆をとったものであるなら、こうした不体裁は起こりようがなかったであろう。

もとになった材料は

では、いまの「爻辞」のもとになった古いことばとは、いったいなんであったか。内藤湖南はそれをおみくじのことばだと考えた。もと、それぞれの卦に相当するおみくじがあり、さらにそのおみくじの内容が四種か五種に細分されていて、おみくじを引いたものがそれによって巫《みこ》に判断してもらったものであろうという。つまり、もともと結婚問題に関するおみくじとしてあったものが利用されて、現在の帰妹《きまい》（少女を嫁がせる）の卦になったとか、裁判問題に関するおみくじが訟（訴訟）の卦になったとかいうような変化を考えたのである。ここで、その内容が四種か五種に細分されていたというのは、先に述べたとおり、卦名のみえる爻が四爻か五爻にわたるものが多いという事実に着目したためである。この点を重視して一歩を進めたのが、武内義雄の説であった。

武内は五条一組の古い材料ということで、それを「卜経」の名残りではないかと想像した。「卜経」というのはいまは亡んでよくはわからないが、亀卜の卜兆《うらかた》のかたちを分類し、それを色沢《いろつや》などによってさらに細分した上、それぞれに占辞（繇《ちゅう》、また頌《しょう》ともいう。うらないのことば）を示したものとされる。そのなかに五条一組の占辞があって、易はそれを利用したものであろう、というのがその説である。両博士の説は、想像の説ではあるけれども、いずれも示唆に富む貴重な考えで、そのいずれが正しいかを決めることはおそらく困難であろう。

ただ、私の考えからすると、四条あるいは五条一組の材料がもとなんであったにせよ、「卦辞」「爻辞」に利用された材料はその一種だけには限らなかったはずである。そのことは、その表現と内容とを仔細に吟味することによって、理解されるであろう。

たとえば、「卦辞」「爻辞」のなかには亀卜の卜辞と類似した文がある。「密雲あれども雨ふらず」（小畜の「卦辞」）、「田して三狐《かり》を獲《え》たり」（解の九二「爻辞」）、「田して禽《えもの》あり」（師の六五）、「田して禽なし」（恒の九四）、「旬《じゅん》と雖《いえど》も咎《とがめ》なし」（豊の初九）、「八月に至りて凶あらん」（臨の「卦辞」）などというのは、殷墟から発見された甲骨卜辞の文とほとんど変わりがなく、実際に雨や狩猟や旬（十日間）や月のことを亀卜でうらなったその答えであったかと思われる。卜辞にみえる術語もまた、「利」「不利」「吉」「凶」「若《よし》」「得」「得るなし」などが、そのまま踏襲されている。[*1]

しかし、それだけではない。「卦辞」「爻辞」のなかには『詩経』の詩を思わせるような韻文もある。「明夷《めいい》于《ここ》に飛ぶ、其《そ》の翼《つばさ》を垂《た》る。君子于《ここ》に行く、三日食《くら》わず」（明夷の初九）は、『詩経』の「鴻雁于《こうがんここ》に飛ぶ、粛々《しゅくしゅく》たる其の羽。之《こ》の子于に往く、野に劬労《くろう》す」（小雅の鴻雁）と、なんとよく似ていることか。いま一つ挙げてみよう。「鳴《な》く鶴《つる》、陰《かげ》に在《あ》り、其の子之《これ》に和す。我れに好《よ》き爵《さけ》あり、吾《わ》れ爾《なんじ》と之を靡《わか》たん」（中孚の九二）は、『詩経』の「鶴は九皐《こう》（沢）に鳴き、声は天《そら》に聞こゆ。我れに嘉《よ》き賓《まろうど》あり、瑟《しつ》を鼓《こ》し琴《きん》を鼓す」（小雅の鶴鳴）と似てはいないか。このほか、さらに成語や諺といった類のことばも少なくない。「霜を履《ふ》んで堅氷《けんぴょう》至る――寒さはだんだんやってくる――」（坤の初六）、「君子は輿《くるま》を得、小人は盧《いえ》を剝《はぎと》らる」（剝の上九）、「その徳を恒《つね》にせざれば、これが羞《はじ》を承《う》くることあり――一定の節操がないと恥辱を受ける――」（恒の九三）などはその例である。

文体は一般に簡古ではあるが、くわしく見ると、このようにさまざまなものが取り込まれている。韻を踏んだ句と、そうでない句とがまじっていることも、武内の指摘したとおりであるが、そのまじり方も五条一組という仮説とは無関係な乱れである。これらのことから考えると、「卦辞」「爻辞」は、ある程度整理された占辞集かおみくじのことばか、そうしたものを中心にして、それに成語や諺や詩句といったものを取り込み、適当なことばを補足して、六十四卦の全体の数に合わせて配列したものだと思われる。

卦名のつけ方

卦名のつけ方はどうであったか。「爻辞」の方で四爻以上にもわたって卦名の出ているものは、おそらくおおむねはその利用した古い材料によってそれを定めたのであろう。しかし、それだけでなく、別に卦名として特に選んでつけたものも少なくないであろう。たとえば、乾の卦では、「潜竜《せんりゅう》」「見竜」「飛竜」「亢竜《こうりゅう》」「群竜」と竜の字が五度あらわれながら、それに関係なく卦名がつけられ、それに対応するように九三の「爻辞」では「君子、終日乾々」などと調子はずれのことばがしるされている。乾の卦がこのようであったのは、坤の場合もそうであるが、特にその卦の形との関係のためであることがはっきりしている。⚊や⚋のシンボルに意味があり、☰や☷の八卦にも象が考えられていたとすると、六十四卦のそれぞれの形にも、おぼろげながらある程度の意味あいは考えられたことであろう。六十四卦の順序が、反対またはひっくり返しの形の一組ずつで配列されている、ということも前に述べた。そのことからすると、卦名のつけ方も、またまったくでたらめに並べたというのでもないであろう。

いつごろ成立したか

それでは、「卦辞」「爻辞」の成立はいつごろのことであろうか。これはきわめて困難な問題であるが、武内によると春秋時代の初期すなわち西紀前六四〇年ごろのことであろうという。その理由は、『左氏伝』の記事で引かれた占筮のことばが、僖公二十五年から後ではすべていまの『易』の文に合うのに、同じ僖公十五年より以前ではすべてがぴったりとは符合しないということである。占筮のことが見える古い資料としては、別に『書経』の洪範《こうはん》篇もある。ただ、それは、その成立時代も問題である上に、そこでは、「卦辞」「爻辞」との関係ははっきりしない。

『左氏伝』の成立にも問題はある。特にその占筮の記事は、うらないの予言が的中しすぎるところから疑問とする学者も少なくない。ただ、その点は的中したものだけを載せたと見ることもできるわけで、その他の一般的な記事と同様に、そこに後からの修飾のあることは事実としても、その骨子はほぼ信用してよいであろう。「卦辞」「爻辞」の成立に先立って存在したとみられる素朴な原初的易筮の時代や、また「卦辞」「爻辞」につづく「十翼」の成立などを考え合わせると、武内・湖南の説はおおよそのこととして承認されてよい。ただ、その素材となった原資料には、それ以前からかなり長いあいだにわたって蓄積されてきたものも含まれているであろう。全体としての簡古な文体は、何よりもそのことを物語っているようである。

注

＊1　内藤湖南の説は、『研幾小録』に収められた「易疑」に、武内義雄の説は『易と中庸の研究』にみえる。

三――「十翼」の成立

「卦辞」と「爻辞」は「経」文である。それに対する補助資料として作られたものが、「十翼」すなわち十篇の伝である。伝説では孔子が作ったものとされていた。しかし、その内容が雑多であって、全体として一人の人物が一時に作りあげたというようなものではない。おおよそのこととして、「彖伝《たんでん》」と「象伝《しょうでん》」のなかの「小象」とが「卦辞」「爻辞」の直接の解釈として同類、「繋辞伝」と「文言伝」とそして「説卦伝」の前半とがほぼ同類、それに「大象」と「説卦伝」の後半、「序卦伝」「雑卦伝」というのが、それぞれ何ほどかの関係を持ちながら独立して存在している。

それらの成立の事情はどうであったか。易の構成について述べたことと関係づけながら、そのあらましをみることにしよう。

「彖伝」と「小象」とをまずとりあげる。「彖伝」は卦の説明、「小象」は爻の説明であった。「象伝」のなかの「大象」は卦の説明で、その主旨からすると「彖伝」と一致するが、その解釈の立場も文体もまったく違っているから、ひとまず除外する。

a ——「彖伝」と「小象」

さて、「彖伝」と「小象」とでも、もちろんいくらかの違いはある。たとえば、「彖伝」の解説はおおむね丁寧で懇切であるが、「小象」の文は粗略で、なかには「爻辞」をくりかえしただけというのもある。また「彖伝」では道徳的な色彩が強まっているが、「小象」では簡略な文であるだけにその色彩は薄い。ただ、こうした違いは、両者の成立の前後を分別するほどに決定的なことではない。それよりも両者の共通の立場が重要である。すでに前にみたように、「彖伝」も「小象」も「経」文のことばの解釈をその卦爻の形によって解説しようとする。そして、それは剛柔・中正などという概念によって行なわれている。そうした点は、「繫辞伝」

以下の諸伝とは違ったきわだった特色となっていた。その特色が意味するものはなんであろう。

陰陽でなく剛柔であらわす

まず、易の二元的な対立を、陰陽とはいわないで剛柔であらわしていることはどうか。易といえば陰陽ということがすぐに思い浮かぶのに、その陰陽ということばは、易ということばと共に、「繋辞伝」ではじめて一般化して出てくる。「卦辞」「爻辞」にはもちろんそれはなく、「彖伝」「象伝」でも例外的である。いったい、陰陽という文字はもともと日影と日当たりを意味したことばである。それを対立的に並べて使う例は、『書経』にも『詩経』にもまだみえない。『孫子』のなかで「軍隊を駐《とど》めるには、高地はよいが低地は悪い」というのをうけて、「陽を貴びて陰を賤しむ」（行軍篇）とあるのが、おそらくその古い用例であるが、そこでは土地の日当たりを問題としたものであるから、まだ本来の意味の使い方である。それが、『老子』になると「万物は陰を負いて陽を抱《いだ》き、沖気《ちゅうき》を以《も》て和を為《な》す」（四十二章）

とあって、万物を成り立たせる陰陽二気といった抽象性の強い、それだけに含意の豊かな概念となっている。戦国時代の末期にあらわれた自然哲学者たちを陰陽家とよぶことも、広く知られている。易の陰陽は、それらの意味と密接な関係にある抽象性の強い対立概念であった。

それに比べると、剛柔のほうは堅く強いものと柔らかく弱よわしいものという具体性を持った、それだけに原初的な対立概念のように思われる。その対立的な表現は、すでに『詩経』にみえる。「剛ならず柔ならず、政を行ないてよく和《やわ》らぐ」(商頌・長発)とあるのが古い例で、『書経』の洪範篇にも「柔克《じゅうこく》」「剛克」ということばで対立したかたちがみられる。そして、そこではすでにある程度の抽象化した一般的な含意がみられる。『老子』のなかで剛と柔を並べあげてその柔弱を善しとしているのも、その発展であった。してみると、剛柔で一貫して陰陽の対照がまれな「彖伝」や「小象」は、陰陽で説明した「繋辞伝」よりも古い成立だということが考えられるであろう。

「経」に対する理由づけ

次に中正というのはどうか。それが、卦の形に関係して、中というのは内卦と外卦とのそれぞれの中央の位置、つまり二の位と五の位をさすのであり、正というのはそれぞれの位に適応した爻が来ること、つまり奇数の位に陽爻が来て偶数の位に陰爻が来ることであるということは前に述べた。中正はその両者を兼ねることであった。ところで、この中と正、そしてとりわけて中正を尊重する立場は、私たちにすぐ中庸の徳を想い起こさせる。極端に走らないほどよい中ほどを選んでいく処世の徳である。それを強調したのは、「四書」の一つとしての儒教経典の『中庸』であるが、『詩経』のなかですでに「剛ならず柔ならず」といわれていたように、偏《かたよ》りのない中正のあり方を尊ぶのは古い伝統でもあった。易の「経」のことばを解釈するのにそうした立場によったことは、一つの思想史的な問題である。「卦辞」「爻辞」までの「経」はもちろん占筮のためのものであった。「彖伝」と「小象」もまだ占筮を主としたものである。だからこそ「経」のことばを忠実に解釈しようとしているのである。しかし、ここで見逃すことができないのは、それが「経」の単純な追跡だけに終わっているのではないことである。

「経」のことばの解釈というのは、ただことばの意味を説くというだけのことではなくて、なぜそのことばがそこで述べられているかということを、卦の象や形との関係で合理的に説明づけることでもあった。たとえば、坤の初六で「霜を履《ふ》む」とある「爻辞」に「陰が初めて凝《かたま》ったのだ」と説明するのは、陰陽を使うまれな例であるが、初位に陰爻が来た形によって「経」文を説明したのである。また、その六五で、「黄いろの裳《スカート》、元吉」とある「爻辞」に「文《かざり》が中にあるのだ」、と説明するのは、いうまでもなく外卦の中央の五の位について述べているのである。「経」文だけでは、たとえば「霜を履む」が、なぜそこでそういううらないのことばになるのかよくわからないものを、蓍《めどぎ》をきった結果として出た卦の形についてはっきりと理屈づけ、それが必然的な絶対的なものであることを、納得させようとするのである。

実は、うらないの本旨からすれば、そんなことはどうでもよいことであった。うらないが神の意志をうかがうものであるからには、それは信仰にかかわることである。うらないのことばとして「経」に書かれていることは、それ自体絶対的なものであるべきであった。神社のおみくじを引いて「待ち人来たる」と出る。それがなぜそうなのかを問うことは、本来無意味である。信じるか信じないかだ。それを穿《せん》鑿《さく》して理屈づけるのは、信ずる方に傾いているとはしても、その信仰がすでにゆらいでいるからであろう。「彖伝」や「小象」が「卦辞」「爻辞」について上のような理由づけを行なっているのは、占筮を主とする立場にはありながらも、次第に義理の要素を加えてきたことを意味している。それは、本来神秘的な立場にあるものを合理的に解釈していこうとする態度であった。

中正を尊重する道義的な立場は、この合理主義的な態度と関係している。そして、それにふさわしく、「彖伝」では時として強い道義性を持ったことばが見出される。たとえば、家人の卦䷤、

家人とは、女は位を内に正し、男は位を外に正す。男女正しきは天地の大義なり。家人に厳君ありとは父母を謂うなり。父は父たり、子は子たり、兄は兄た

り、弟は弟たり、夫は夫たり、婦《つま》は婦たりて家道正し。家を正さば天下定まらん。

初めの男女の内外をいうのは、六二（つまり内卦のなかに女がいる）と九五（外卦のなかに男がいる）との卦の形を説明したものであるが、もちろん男女の社会的立場を示す道義性がある。そして、後段は特に『論語』や『孟子』と関係する儒教的なことばである。「彖伝」では、このように二段に分かれて、その後段で道義性の強いことばのみえる例が往々にみられる。それは、あるいは後からのつけ加えではないか、と疑えないこともない。だが、それはいまは深くは問わない。[*1]「彖伝」や「小象」に道義的な立場がみられるのは事実であり、しかもそれは、一般的にいって、「繫辞」や「大象」などと比べてはるかに穏やかなものだということも、まちがいがないからである。

戦国中・後期の成立

それでは、このような「彖伝」と「小象」の成立は、いつごろと考えられるであろうか。「卦辞」や「爻辞」との関係からすると、それはもちろん春秋末より以後である。さらに、剛柔で一貫しているのは古い形ではあっても、そこにわずかにせよ陰陽もまじっていることからすると、戦国中期よりはさかのぼれない。そして、道義的な立場からする合理主義的な解説という点と、次に問題とする「繫辞伝」などとの関係で考えると、「彖伝」と「小象」の成立は戦国中期から後期にかけての時代、西暦でいえば紀元前四世紀の末から前三世紀の半ばごろまでと定めてよいであろう。

b――「繫辞」と「文言」

次には「繫辞」「文言」と「説卦伝」前半とを取り上げよう。「繫辞伝」が広範な問題に説き及んで易学概論といった趣きがあるのに対して、「文言伝」は特に乾卦と坤卦とについての各論である。そして、「説卦伝」前半は「繫辞伝」の延長である。もっとも「文言伝」のまとまりについては、もともと乾・坤以外の卦についてＢ

もあったのが亡んだのであって、その断片は「繫辞伝」のなかに残っているといわれ、[*2]また「文言」という名称は爻言の誤りではなかったかという説もあって、[*3]その原初の形については疑問が多い。

儒教の書となる

さて、この一群の成立に関して問題になるのは、まず第一に「子曰わく」ということばの引用が多いことで、時にはそれによって「易に曰わく」として掲げた「経」文に対してすこぶる道義的な解釈を下している。もちろん、それは意識的に孔子のことばをまねたものである。つまり、ここで易と孔子とがはっきりと関係づけられたわけで、それは「十翼」が孔子によって作られたという伝説にもふさわしい形である。そして、そのことは、占筮の書物であった易がいまや儒教の書物になったことを、意味するものであった。

次には陰陽ということばであるが、ここでそれはまったく自然哲学の術語としての形であらわれている。単に陰爻陽爻のその符号をさすといった狭い使い方ではない。そして、それに応じて、この二元的な対立を一元に統率する立場も考えられている。「一《あるい》は陰、一《あるい》は陽となるを、道と謂《い》う」とあるその道がそれであり、それはまた「太極《たいきょく》」ということばでもあらわされる。天地自然はそうした太極（道）と陰陽とによっておのずからに整然とした秩序を保っているのであり、人もまたそうした自然の秩序のなかで本来それに従った生活をしていくべきものであった。それは、いわゆる天人合一の立場、つまり自然界の法則と人間社会の秩序とを本来適合すべきものと考える立場を、はっきりした主張としてうち出したものであった。聖人は天地自然を模範として易を作り、それを人倫の法則としたといい（「繋辞」上伝）、天の道は陰陽、地の道は剛柔、人の道は仁義で、聖人はこの三才を兼ね合わせて易を作ったともいう（「説卦伝」）。

天人合一の思想

いったい天人合一の思想は、後にも詳しく述べるように、中国の伝統思想の主流を占めるものであった。それは孔子の天の思想にもみられるし、老荘の道や自然の思想にもみられる。そして『易』のなかでも、すでに「彖伝」では部分的にそれを説くところがある。ただ、「繫辞伝」での説き方は、それこそが易の背骨《バックボーン》となるような主流的な精神だと主張することで、その点にきわだった特色があった。しかも、それが儒家的な道義的教説と結びついている。そのような自然への強い傾倒ぶりをあからさまに表現することは、実は本来儒家のものであるよりは、老荘流の立場であった。あるいはまた、陰陽家とよばれる自然哲学者たちの立場であった。だから、ここでは、占筮の書を儒教の書に転化させながら、老荘流あるいは陰陽家流の思想をまじえて、中国思想の主流ともいえるような天人合一思想をはっきり打ち出した、ということになるのである。

これとよく似た立場にあるのは『中庸』である。その巻頭の有名なことば、「天の命じたものを本性と謂《い》い、本性のままに率《したが》うことを道と謂い、道を修めることを教えと謂う」とあるのは、人間道徳の根源としての自然の秩序をはっきりと提示したもので、それはまた「誠は天の道なり、誠ならんとするは人の道なり」ということばにも、はっきりとあらわれている。だから、人間の道徳活動が十分に果たされる時、とりもなおさず、それは天地の生成の働きを助けることでもあった。「天地の化育を賛《たす》けて、天地とならんで参《さん》（三）になる」というのが、その道徳活動の目標であった。儒教の道徳は、天人合一の立場によってその強力な基礎を得、また高い目標を持つことになったのである。「繫辞」や「文言」と『中庸』との関係はまたそのことばの類似でも証明できるが、以上のような共通の立場は、思想史的にみていつごろのことと考えられるであろうか。

儒教再生の書

疑いもなく、ここでは儒教の再生がはかられているのである。そのためにこそ老荘や陰陽家の立場も導入された。そして、孔子や孟子では語らなかったはずの鬼神の説までもみえることは、墨子《ぼくし》の影響をも思わせる。そのように諸派の思想を積極的に取り込んで自家の強化と再生をはかるのは、まず戦国時代も最末期から後のことであろう。それについて思いあたるのは、秦の始皇帝が民間の儒書を焼きすてた焚書《ふんしょ》のとき、『易』は卜筮の書であるために焼却をまぬがれたということである。[*4]

今日の「繫辞伝」や「文言伝」がもし『易』のなかに含まれていたとすれば、この特別の措置はやや理解しにくいことになるであろう。してみると、「繫辞」や「文言」は、始皇帝の焚書のあと、民間の儒者たちが多くの儒書を焼かれた穴埋めとして、『易』を儒教の書に変えるために作りあげたものだ、ということが考えられるであろう。

そのように考えることは、その他の一般的な情況にもよく適合している。儒教の天人合一の立場が正統的な思想として普遍的になり、それが神秘的に説かれるようになっていくのは、前漢の中ごろ以後である。そして「繫辞伝」が人に引用されるのは前漢の初期から始まる。そのことからすると、「繫辞伝」などの成立は、秦の始皇帝の末年から漢のごく初めまでのあいだのことで、漢代で盛んになる天人合一思想のさきがけとなったものだとみられるであろう。この時期は、いうまでもなく、秦・漢の古代帝国の完成期である。思想界はそうした新しい統一帝国のための新しい理論を求めていた。その機運に勝利を得ようと求めたのは、もちろんのこと、何も儒家に限ったことではない。しかし、結果的には儒教の勝利に終わった。

それは、家族倫理に立脚する政治思想としての儒教そのものの基本的な性格にかかわることはいうまでもないが、また新しい時代に即応して、儒教の再生をはかった漢初の儒生たちの働きによることでもあった。「繫辞伝」以下の「十翼」は、そのような儒生の活動の一つのあらわれとして、いかにもふさわしいことに思える。儒教道徳の基礎を自然界の秩序に求めてそれを深遠なものとし、陰陽の二元的な対立を一元に統一して中央集権の体制を助けるものともしたのであった。[*5]

c──「大象」その他

さて、「大象」と「説卦伝」後半とは密接な関係があるともいわれている。そして、学者によっては、「十翼」のなかでこれらをもっとも古いものと見る人もある。ただ、私の見るところでは、「説卦伝」は部分的に古い伝承を持つものには相違ないが、整理編纂されたのは、その前半が「繫辞伝」と関係の深いことからして、おそらく漢初のことであろうし、「大象」はまた全体としてその整備された体裁と内容からして、決して「繫辞伝」に先立つものではあるまいと思う。

「説卦伝」

「説卦伝」の後半は、天・地・山・沢・雷・風・水・火といった八卦についてのさまざまな卦象を列挙しただけのものである。それらの中には、おそらく乾・坤などという八卦の名称がつく前から、つまり原初的なうらないの段階から、伝えられてきた古いものもあるであろう。その意味では「説卦伝」は古いといえるかも知れない。しかし、こうした卦象は、うらないの方法が複雑になるほど増えていく性質のものである。「説卦伝」にはかなりたくさんの数の象がみえていて、そのすべてが古いものであるとは、とうてい思えない。おそらく、「繫辞伝」などと同じか、ややおくれて、網羅的に整理されたものに違いない。

卦象の自然を範とする「大象」

「大象」が「説卦伝」と関係が深いとされるのは、「大象」六十四条のそれぞれの前半が、その卦の成り立ちを八卦の象によって説明しているからである。たとえば、「上は天、下は沢なるは、履」というのは、履の卦䷉が乾☰と兌☱で成り立っていることを天と沢というそれぞれの象によって説明したものである。その限りでは、もちろん「説卦伝」と関係があり、また成立もあるいは古いといえるのかも知れない。しかし、「大象」の文はその後半と分離して語ることはできない。ここにあげた履の卦では、その履とは礼の意味であって、「君子は以て上下〔の身分〕を弁《わか》（分）ちて民の志《こころ》を定む」とつづいている。上下階級の分別が礼にかかわることは、もちろんいうまでもない。つまり、「上は天、下は沢」と、それぞれにあるべき位置にあるという履の卦の形によって、それを模範として君子が努めるべきことを述べたものである。「大象」の体裁はすべてこうである。

卦象に示される自然のあり方を模範として、儒教的な実践に励むというのが、「大象」の一貫した立場であった。そこには道家的な影響もみられはするが、中心は儒教的な訓言で、『論語』や『大学』『中庸』と近いことばもみられる。そして、それはもはや易の解説というよりは、むしろ道徳的訓言を述べるために易を利用したというべきものである。その文章の整った体裁からしても、六十四条の「大象」が「繫辞伝」よりもおくれるものであることは、明白であろう。

「序卦伝」「雑卦伝」

「序卦伝」と「雑卦伝」についても、はっきりはしないが、ほぼ漢初の成立としてよいであろう。どちらも、六十四卦の全体について、それを個別的でなく総体的にとらえて問題としている点で一致する。そういう態度は、易の構成が全体として反省される段階になってから、はじめて起こるはずのものであるから、これまた「繫辞伝」よりさかのぼることはできない。その分量から考えても内容から考えても、特に一篇とするほどにも当らぬもので、雑録として付録的につけ加えられたものである。

注
＊1　この点については拙著『秦漢思想史研究』（日本学術振興会刊）で述べた。

＊2　元の呉澄『易纂言』の説。
＊3　山片蟠桃『夢之代』、武内義雄『易と中庸の研究』の説。
＊4　『漢書』「芸文志」の説である。津田左右吉「易の研究」も、それによって「繋辞伝」などの成立を焚書以後と定めている。
＊5　「繋辞」と「文言」の成立の事情はほぼ以上のようである。『中庸』などとの関係で、それを思想史的にさらに詳しく知りたい人は、拙著『秦漢思想史研究』（日本学術振興会刊）を参照していただきたい。なお「十翼」の成立を詳細に研究した論文として山下静雄『周易十翼の成立と展開』（風間書房刊）がある。

四——「易」という名称

簡易・変易・不易

一つの書物ができあがるまでの歴史を考えていくことは、専門家にとってはなかなか楽しいことなのだが、さて一般にはどうであろう。骨董趣味と同じで、学者の勝手な自己満足とみられるかも知れない。古典の成立というものには、洋の東西を問わず、いつでも厄介な問題が山積している。『聖書』の場合もそうだし、『論語』の場合もそうである。そして『易』の場合、それは特に込み入ったものであった。『易』の成立に、時代を隔てた三人あるいは四人の聖人が関係したという伝説は、その内容が長い年月を経て何人もの手によって作り上げられたという事実を示すものと考えればよい。これまで見てきたことは、なかなかめんどうであったが、まさに西周時代から漢の初めまでほとんど七、八百年間にもわたる易の発展史であり、また『易』の成立史であった。最後にそれをしめくくる意味で『易』という書名がそもそも何を意味するのか、それを考えておきたい。

『易』の意味については、実はさまざまな説があるが、最も一般的には、漢の時代からいわれはじめたことで、「易は一つの名称で三つの意味をあらわしている」ということがある。*1 それは簡易《かんい》つまり簡単でやさしいこと、変易《へんえき》すなわち変わること、不易《ふえき》すなわち変わらないことの三つである。

こういう矛盾した意味が書名としての一字に含まれているなどと考えるところに、興味深い中国的な思考があるのだが、それは後で述べることとして、この三つのなかでも特に変易の意味を重くみるのがふつうである。今日、英文の訳語で『The Book of Changes（変化の書）』とよぶのも、それに従ったものである。結論から先にいえば、私もまた、『易』の書名は、本来変易を意味したものとしておいて、それでよいのではないか、と考えている。

文字からのアプローチ

ただ、変易といっても、それがまたどういう変わり方をさしているのか、それは簡易や不易の場合と同様に、素朴な意味から哲学的な解釈までさまざまに分かれる可能性があるだろう。実は、この「三義」以外の諸説も、そうした素朴か深遠かといった解釈の立場の取り方で差違の生じている面が大きい。

たとえば、易の字は夷・希・微などの字と通じ合って、神秘不可思議なものをあらわしているという説などは、深遠な解釈である。「三義」を兼ねるというのなども哲学的といってよいであろう。しかし、易の字の原初の意味やその記号性をたずねて、たとえば易は蜥蜴《とかげ》のことで、もともとそれをトーテムとした集団の名称が占筮家集団に伝わったのだとする説などは、素朴な原初的意味をさぐろうとしたものである。ここで、たいせつなことは「易」という名称がいつからこの占筮の名としてつけられたのか、それを検討することであろう。

すでに見たように、「易」という名は、いまの『易』のなかでは「繫辞伝」ではじめてあらわれるのだが、すでに『左氏伝』のなかで、春秋時代の記事として「周易」という引用があった。それはおおむね占筮にかかわることで、またそこに引かれたことばは「卦辞」と「爻辞」の「経」文に限られていた。そのことからすると、「易」あるいは「周易」というよび方は、「繫辞伝」での哲学的な解釈などとは無関係に、易の筮法が定まった当初からのものとも考えられるであろう。ただ『左氏伝』での名称は、後からの挿入である可能性もないわけではない。だから、もしそれを疑うとすると「易」の名は、ついに戦国時代の最末期までもあらわれないことになるのである。[*2] 挿入か挿入でないか、その点はいずれとも決めないとしても、『左氏伝』の記事は、要するに、いまの六十四卦の筮法が確立してからのものであるから、それ以前にも「易」の名があったという保証はまったく何もない。

筮法が発達したある段階で

私の考えでは、まず亀卜と区別する意味での最初の名称は、おそらくは「筮」で十分であったと思う。そして筮法の発達にともなって、総合的な整備が行なわれたある段階で、はじめて従来の筮法と区別するために、「易」という名がつけられたのであろう。もしそうだとすると、易の字の最初の意味や記号性をたずねて、それを『易』の名称と関係づけて解釈するような立場は、易の筮法が古い成立であるということと、その名称の起源とを混同したものだといえるであろう。そして、「易」の意味は、それをあまりに深くうがって哲学的に解釈するのもよくないが、また非常に古い原始的な意味で理解しようとするのも誤りだということになるであろう。

私が最も平凡なふつうの解釈に従おうとするのは、このためである。おそらく、それが最も事実にかなっているのであろう。「易」の意味は変易である。そして、それは、ある程度の複雑さに発達した筮法の状況をふまえて、蓍《めどぎ》のきり方によってさまざまな変化をみせる易筮のあり方をいいあらわしたものであったと思う。

注

＊1 『易緯乾鑿度《えきいけんさくど》』——易は一名にして三義を含む。後漢の鄭玄《ていげん》もそれを踏襲し、唐の『正義』もそれに従った。

＊2 『論語』の「五十にして易を学べば」の易の字が亦の意味とも考えられることは前に述べた（一二〇ページ）。それを除くと戦国末の蔡沢の言にあらわれる引用（『史記』）、『荘子』、『荀子』、『礼記』経解篇などが古いものとなる。

Ⅳ——思想としての易

一――経典としての確立

漢初の思想状況のなかで

『易』が、「経」と「十翼」とを備えてその完成をみたのは、漢の初めのことであった。秦の始皇帝の大統一のあとをうけて成立した漢帝国は、いかにも輝かしい。しかし、始皇帝の治世は短く、そのあとに起こった戦乱のはげしさは、いわゆる戦国時代の名残りがまだ漢初にまで続いていたことを物語っている。思想界はなおさらであった。

始皇帝のきびしい法家的な統制はすぐくずれて、思想界はまた活発な諸子百家の時代を再現する。そして、さまざまな傾向の思想家たちが、たがいに他派との折衷をはかりながら、新しい統一帝国のための総合的な統一理論を打ち立てようと競い合った。漢の高祖はもともと放蕩無頼の任俠者である。教養とか思想などとは、およそ縁遠い。儒者の冠《かんむり》を奪ってその中に尿《にょう》を放ったなどというのは、いかにも面目躍如とした痛快な話である。しかし、戦乱が終わってからは、「陛下は馬上で天下を取ったが、馬上では天下は治められますまい」と諌めた陸賈《りくか》の名言が象徴するように、文人、とりわけて儒者に対する高祖の態度は、大きく変化した。それが思想界を活発にする機運をひらいたことは、いうまでもない。『易』が、儒者の手によって思想性を加えて整備されたのは、そうした状況においてであった。

やがて、諸派の活動のなかで、儒教の優位が次第に固まってくる。何よりも、その道義的な政治思想と礼楽の文化主義が、平和な王朝の体制を支えるのに適合していたからであった。そして、ついに武帝の建元五年（紀元前一三六年）、それは漢の建国からすでに七十年を経過していたが、儒教は漢の国教として定立されることになった。儒教による思想統一である。国立大学が設けられて、『易』『書』『詩』『礼』『春秋』の五経のためにそれぞれの講座ができ、専門の博士官が教授にあたることとなったのである。いわゆる五経博士の設置であった。高級官吏をめざすものは必ず儒教の学問を身につけなければならないという、以後の中国社会を長く支配した体制がここに端緒を開かれたのである。

こうして、『易』は、いまや儒教の経典として五経のなかに加わることによって、その地位をゆらぐことのない重要なものとした。本来、無思想な占筮の書で、だからこそ秦の焚書をもまぬがれたはずの『易』が、わずかのあいだにこの破格の重視をうけるようになったのは、なぜであろう。もちろん、「繋辞伝」以下の成立に関して述べたように、その内容が時代の趨向に適合した思想性を備えるようになったからである。してみると、その経典としての確立は、実は、それがうらないの書であることのほかに、思想の書——義理の書でもあることを、公に認められたことを意味するものであった。

人事と自然現象をむすびつけた漢易

ふつう、漢代の易学は、「漢易」と略称される複雑微妙な呪術的筮法として知られている。たとえば、卦気《かき》説というのは、坎《かん》䷜、離《り》䷝、震《しん》䷲、兌《だ》䷹の四卦の二十四爻を一年じゅうの二十四気にあてはめ、坎の初六は冬至（十一月中）、九二は小寒（十二月節）、六三は大寒（十二月中）、六四は立春（一月節）というように配当し、分卦直日法《ぶんかちょくじつ》というのは、上の四卦を除いた残りの六十卦を三百六十五日四分の一に当てはめて一卦ごとに六日八十分の七を得（これによって六日七分説ともいう）、その六日をそれぞれの卦の六爻に配当して、結局一年じゅうの毎日を何卦の何爻と定めることで、いずれも、それを前提としたうらないによって、天象と人事との必然的な感応関係を説明しようとしたものである。

　また十二消息卦というのもある。

復䷗（十一月）、臨《りん》䷒（十二月）、泰《たい》䷊（正月）、大壮䷡（二月）、
夬《かい》䷪（三月）、乾䷀（四月）、姤《こう》䷫（五月）、遯《とん》䷠（六月）、
否《ひ》䷋（七月）、観䷓（八月）、剝《はく》䷖（九月）、坤䷁（十月）。

　この十二の卦の形は陰と陽がたがいに下から浸蝕する順序に従ったもので、それぞれがその月を支配すると考えるのは前と同じであるが、六十四卦のうち特にこの十二卦を君の卦として尊重し、他の五十二卦は雑卦として臣に当たると考えた。[*1]

十二月卦氣圖

十一月	十二月	正月	二月	三月	四月	五月	六月	七月	八月	九月	十月
䷗	䷒	䷊	䷡	䷪	䷀	䷫	䷠	䷋	䷓	䷖	䷁
地雷復	地澤臨	地天泰	雷天大壯	澤天夬	乾爲天	天風姤	天山遯	天地否	風地観	山地剝	坤爲地
子天開	丑地闢	寅人生	卯	辰	巳	午	未	申	酉	戌閉物	亥

漢易が、こうした複雑な筮法にもとづいて、呪術的なうらないを盛んに行なったことからすると、義理の書として公認されたということの意味が、あるいは理解できないかも知れない。ただ、いわゆる漢易にみられるような呪術的なうらないは、確かに実勢力を持ったうらない方ではあったが、実は前漢も末期になってから、正統的ではない易学として発生したものであった。当時において正統的でないと批評されているその事実は重要である。では、前漢の正統的

な易学とはどういうものであったか。

自然哲学としての陰陽思想

残念ながら、それを正確に知るだけの資料はない。ただ、それが「繋辞伝」などによって知られる「十翼」の思想の延長上にあったということはいえるであろう。すなわち、それは、『易』の内容を現実の歴史的事態と対応させながら、思想的に解釈することであったかと思う。そして、その最も重要な点は、やはり天人合一思想の強調であったに違いない。

人間世界の秩序を宇宙自然界の秩序と一致するものとみて、そこに模範を取ろうとするのが、天人合一思想である。漢代では、その天人関係のメカニズムを明らかにするために、自然哲学としての陰陽思想が採用された。この宇宙には陰と陽との二種の気が充満していて、それが人間世界のすみずみにまでゆきわたり、この肉体にも精神にも浸透している。だから、人間と自然との間には必然的な感応関係があるとする思想である。

漢の宰相の仕事は、実際の政務をとることであるよりは、「陰陽を燮理《ととの》える」ということであった。陰陽の不調、すなわち自然界の運行が順調でないこと——たとえば大風が吹いたり日蝕があったりすること——は、現実の政治がよくないからだとして、宰相の最大の責任とされた。やや時代は下るけれども、宣帝の時の宰相丙吉は、街路の視察で、群衆のけんか騒ぎは見すごして、牛が喘《あえ》ぐのを見とがめた。その理由は、私闘は司法官の責任であるが、暑くもないのに牛が喘ぐのは陰陽の気が乱れている証拠で、これこそ宰相の責任だということであった。時代の空気がよくわかる話である。

董仲舒の考え方

いったい、武帝の時に国教としてのし上がった儒学は、戦国時代の斉《せい》の北方（今の山東省）から伝統を引く斉学派のもので、その中心は『春秋公羊伝《くようでん》』という『左氏伝』とは別派の書物を奉ずる学派であった。斉の地方は孔子の生まれた魯《ろ》の地方と並んで、もともと儒学の盛んな土地であるが、その儒学は土地の気風を受けて諸学を折衷した現実派で、また神秘的な傾向を持つものでもあった。そこで生まれた公羊学派では、孔子が『春秋』をつくった主旨は、来るべき大統一の世界をひらこうとすることで、その世界こそ天命を受けた現在の漢王朝の世界だと説いた。それは、現実に対する迎合であるとともに、また天意を背景とする神秘的な予言的性格を備えたものである。一つの学派の思想が国家的な政治イデオロギーとなる場合には、いろいろと不純なことがあるものだ。

儒教の国教化をおしすすめた中心人物は、董仲舒《とうちゅうじょ》（前一七六？〜前一〇四？）という公羊学者であった。歴史は、彼のことを、「初めて陰陽思想を取り入れて儒者の中心となった」人物だと記録している。そのとおり、彼は「天と人との感応関係は非常に恐るべきものだ」と説いて、人事と自然現象との密接な関係を強調した。つまり、天変地異といった自然の異変は、すべて人間世界のできごとに対応して起こるという考え方である。そこで、「聖人は天を模範として人の道を立てた」といい、『春秋』という経典は、過去の事実を記録した歴史書でありながら、実は、天人関係を明らかにすることによって、将来の世界を開くものともなっていると説いた。結局、董仲舒のめざしたものは、天を中心とする道義的秩序の確立で、それを現実の漢の王権の確立との抱き合わせで果たそうとしたものであった。

思想書として公認される

『易』の経典化が、こうした公羊学派の動きと無関係であるはずはない。漢の初めの文芸復興期に『易』を伝えた学者は、やはり斉の人びとであった。易は聖人が天を模範として作ったものだというのは、「繫辞伝」でも強調するところである。天人合一の思想は、すでにそこではっきりしていた。そして、易こそは過去をきわめて将来をひらくものだともされていた。易の神秘的な未来予知である。

生々変化と、その変化を通して変わらないものを強調する思想、陰陽の対立とその対立を統一づける「太極」を強調する思想、それは新しい中央集権体制を求める漢王朝の支配者たちに、適切な理論を提供するものであった。易がうらないの書として本来備えていた神秘的な性格は、漢の王権を修飾するものとして一層助長された。そして、易の陰陽思想は、自然哲学としての陰陽観にふさわしいものとして重視された。

まことに、儒教の経典となった『易』は、そのことによって決してうらないの書であることをやめたわけではない。しかし、より強く表面に出てきたものは、漢王朝の政治体制と結びついたその思想性――義理の書としての性格――であった。経典として確立されたことは、その思想性の公認を意味すると考えてよいであろう。

「善く易を為むる者は占わず」

ところで、このような義理の書としての性格は、もちろん突然にできあがったものではない。それは、『易』のことばがうらないとは無関係に引用されて、教訓的格言的に利用されることから始まった。すでに『論語』の子路篇には、孔子が「その徳を一定にしていないと、いつも恥ずかしめを受ける」という易のことばをあげて、「うらなうまでもない、当然のことだ」と説明している。これがそのまま孔子の時代のものか、そうだとしても、果たして当時からいまと同じに『易』のことばであったのか、そうした疑問はあるが、「うらなわざるのみ」という評言は重要である。いずれにしても、『易』のことばを尊重して引用し、それを自分の主張の助けともすることは、戦国の末あたりから次第に盛んになった。

楚《そ》の公子春申君《しゅんしんくん》が秦におもむいたとき、東方の六国への侵略をやめない秦の昭王を諫めて、「これでは、初めはよいが、後には諸侯の怨みをかってよくない」という主旨を述べるのに、未済《びせい》の「卦辞」を引用してその典拠としている（『戦国策』秦策四）。また遊説家の蔡沢は秦の宰相の応侯に隠退をすすめるのに、「亢《たかぶ》りたる竜、悔《くい》あり」という乾の「爻辞」を引用して戒めとしている（『史記』蔡沢伝）。いずれも、格言か訓言といった用い方で、『易』の「経」文が、うらないとは別に、ことばとして尊重されている証拠である。しかも、春申君のことばでは『詩経』の句とならべ、蔡沢のことばでは『論語』の語とならべての引用であった。『荀子』の大略篇では、

善《よ》く易を為《おさ》むる者は占わず——すぐれた易学者はうらないはしない——

という大胆なことばがみられる。それは、占筮の否定であった。そして、同じ大略篇のなかにはそれを裏づけるかのように、咸《かん》の卦䷞の意味を説いた次のようなことばがある。

易の咸は夫婦〔の道〕を見《しめ》している。夫婦の道は正さなければならない。これこそ君臣父子の本《もと》である。咸とは感である。〔この卦の形は〕高いものが低いものの下にあり、男が女の下にあり、柔が上で剛が下である〔だから離れずにくっついて感じ合うのだ〕。

似たことばは『易』の「序卦伝」と「彖伝」にも見えるが、これはそれらの単純な合成とは思えない。「易の咸は夫婦を見す」というその書き出しは、まぎれもなく、咸の卦について道義的な解釈を提示するものの発言である。うらないをしない易学者は、『易』の卦爻の形を見、文章を読んで、そこに人生の教訓としての深い意味を考えたのであった。

「卦辞」「爻辞」を思索の対象とする

まさしく「繫辞伝」では、そのことを次のようにいっている。

君子が、平生の拠《よ》りどころとするものは、易の卦のシンボリックな意味であり、楽しんで玩味するものは、爻のことばである。だから君子は、平生の何事もない時には、卦の意味を考えてそのことばを玩味し、事が起こった時には、易の変化をさぐってうらないの結果を玩味する。

つまり、易はうらないの書ではあるが、うらないは非常の場合に行なうのであって、平常は易の卦象と「爻辞」によって思索するというのである。

「繫辞伝」や「文言伝」には、乾・坤をはじめとするいくつかの卦についての特殊な解説がみられる。乾の「文言」の一部をあげてみよう。

初九「潜《ひそ》みたる竜、用いられることなし」というのは、どういう意味か。孔子はいわれた、竜の徳がありながら隠れている者のことである。世俗に誘惑されず名声を得ようとせず、世俗をさけて悩みなく、認められなくても気にかけない。楽しいことと思えば、自分も行ない、心配なことだと思えば、自分はやめる。確《かっ》乎《こ》として動かすことのできないのが、潜竜である。

上九「亢《たかぶ》りたる竜、悔《くい》あり」というのは、どういう意味か。孔子はいわれた、貴いけれども位がなく、高いけれども民衆がいない。賢人が下の位にいるのだが、援助者とはならない。だから行動すると後悔があることになるのだ。

乾の初九から上九までの六つの位を、人物のあり方に見立てて、それぞれに道義的な実践を考えたものである。それは、ちょうど『荀子』での咸の卦の説明と同じである。うらないと離れて、卦爻のことばそのものを思索の対象にして楽しんでいる風が、そこにはみられるであろう。そして、これを一歩進めると、もはやうらないの技術を離れて、もっと合理的に疑問を解決する道もひらかれてくる。

たとえば、自分の行動を決しようとするものは、筮竹をとることをしないで、まず自分の当面の問題（時）について熟考する。そしてそれが六十四卦のどれに当たるかを選び出す。次に自分のおかれている現在の地位が六爻の位（初は未出仕、二は士、三は大夫、四は三公・諸侯、五は天子、上は在野の賢）のどれに当たるかを考える。

こうしてその卦爻の辞について判断するということになるが、これはすこぶる合理的なうらないである。いや、ここまでくれば、もはやそれはうらないではなかろう。それは、一つの問題についての教訓や指針を『易』に求めるものだ、といったほうがよい。そしてそのような『易』の利用こそ、『易』の経典としての性格を助長するものであった。

注

＊1　いわゆる「漢易」については鈴木由次郎『漢易研究』がある。

二――老荘との関係・王弼の易

天才王弼の生きた時代

経典となった『易』は、その後、義理の易として思想的に深く思索されることになったが、その代表は、魏《ぎ》の王弼《おうひつ》（二二六―二四九年）と北宋の程伊川《ていいせん》である。王弼の場合は老荘の影響による深化であり、程伊川の場合は仏教の華厳《けごん》の哲学によるところが大であった。ここでは、まず王弼を取り上げて、魏・晋時代の一般的な思潮との関係で、その易学をみることにしたい。

王弼は、まことに思想的な天才というべき人である。名門の貴族ではあったが、わずか二十三年という生涯で、『易』と『老子』とのすぐれた注釈を著わしたほか、いくつかの著作を残してその後の思想界に大きな影響を与えた。この若者に接した知識人たちは、だれもがその聡明な天才ぶりに感嘆したともいわれる。

彼の時代は、あの『三国志』で有名な魏の曹操《そうそう》を受ける時代である。曹操の子の曹丕《そうひ》が後漢を倒して魏の王朝をひらいたが、それはわずか四十年あまりで執権の司馬氏に乗取られ、魏は滅んで西晋の時代となる。ちょうど鎌倉幕府が源氏から北条氏にとってかわられたようなものだ。当然、こういう時代は『三国志』の男らしい舞台とは違って、政治社会の陰湿な謀略や暗躍がはびこる、危険な不愉快きわまる時代である。王弼はこの四十余年の王朝の前半を生きた。前半を生きたのは、さらに生きのびるよりは、まだ幸いであったかも知れない。いわゆる「竹林の七賢」として有名な阮籍《げんせき》や嵆康《けいこう》も同じ時代の人であるが、彼らは何の苦労もなしに竹林で浮き世離れの「清談」にふけっていたわけではない。彼らの清らかな心は深く傷つけられ、身の危険を避ける防禦とともに抵抗の精神をも秘めていた。事実、嵆康は捕われて四十の年で獄死したのである。

この時代、聖人孔子をあがめる儒教中心の思想は依然として強い。しかし、漢一代を通じて強制的な束縛となってきたその形式的な道義性は、もはやあきられていた。そして、その窮屈な束縛からの解放を求めた人びとがあこがれたものは、老荘思想の自由な精神である。それは、住みにくい現実の政治社会のあり方とも関連して、ひろく流行するようになった。そして、儒教の経典の中で尊重されたものは、いまや最も思想的に深遠だと考えられていた『易』である。『老子』と並んで「易老」とか「老易」というよび方が広まり、また『荘子』を加えた三つの書を、「三玄」——三つの奥深い哲学——とよんで特別に尊重することも、やがて起こるようになった。王弼はまさにそうした風潮の先端に立った人である。では、彼の易学はどのようなものであったか。

濁りをすて本質をつかむ

王弼の易を漢代の易と比べて賛嘆した適切なことばがある。「濁ったたまり水がなくなって、いまや氷のように澄みきった清冽な水がひらけた」というのである。*1 漢代の易は、先にそのもようを示したように、卦気説とか六日七分説とか、その他いろいろの煩わしい原則を立てて、自然現象と人事との密接な関係を強調する呪術的なうらないとして栄えていた。もともと『易』が経典となったのは、当時一般に盛んであった天人合一思想によく適合したからであったが、その後、漢代の易学はその方向での思想的な深まりをみせないで、むしろ煩わしい込み入ったうらないの技術を増長することによって、神秘的な雰囲気のなかで天人合一を強調したのである。次から次へと生み出されるいろいろなうらない方、いかがわしいでたらめといってよいような無原則な方法が考え出されて、漢易はもはや民間の呪術と変わりがないほどに堕落したものとなった。王弼はそれを一掃したのである。めんどうなうらないの技術をすっかり捨て去って、純粋な思想の書として取り上げ、その深い意味を明らかにしたのである。まことに、濁り水を転じて清冽に澄みわたらせる仕事であった。

真理がつかめれば象は捨てよ

王弼にとって『易』の書は真理を蔵した哲学書であった。六十四卦のそれぞれの卦は「時」である、と彼はいう。「時」というのは、時と場合といった一定の状況をさすことばで、たとえば豫の卦の「彖伝」で「豫の時義《じぎ》は大なるかな」などといわれているのが、それである。つまり、一つ一つの卦は、人が遭遇し際会する一定の状況をさしている、とみるのである。しかも、一定の状況はまた決して固定的なものではない。同じ「時」のなかでもまたさまざまな変化があり得る。それが卦の形を構成する爻によって示されているという。「爻とは変なり」というのは、「繫辞伝」のことばでもあった。そこで、卦爻の形はそうした具体的な状況をふまえて作られているのであるが、重要なのはそれらの象徴が意味する根本の真理である。易を学ぶものは、その真理をこそ把握すべきであって、いたずらに「経」文や卦の形にとらわれるべきではないという。

そもそも卦の象《かたち》は意味をあらわすものであり、卦爻辞の言《ことば》は象を説明したものである。だから、意味を明らかにするには象によるのが第一、象を明らかにするには言によるのが第一で、言によって象を考え、象によって意味を考える。そこで言は象を明らかにするための手段であるから、象がわかったら言は忘れてしまい、象は意味を明らかにするための手段であるから、意味がわかったら象は捨ててしまう。ちょうど兎を獲るための罠《わな》や魚を取るための筌《やな》が、兎や魚をとらえると忘れられてしまうのと同じだ。してみると、言は象をとらえるための罠であるし、象は意味をとらえるための筌にすぎない。（王弼『易注』）

ここで意味といわれているのは、易の根本の真理をさしている。そして「得意亡象《とくいぼうしょう》――真理が把握できれば卦象は捨ててしまう――」というのが、その主張の中心であった。卦象を主として易を解釈するのを象数学《しょうすうがく》といい、漢易はその代表であった。卦象を捨て忘れよというのは、もちろん、漢易に対する反対を表明したものであった。王弼の考えでは、それは、末梢的な形式にとらわれて、真実を見落しているということである。

無が万象の根本

この主張は、現象の奥に真理をさぐろうとする彼の哲学的な立場と深く関係している。「得意亡象」はもともと『荘子』にもとづいた語である。王弼はそこから多くを学んだ。真理はこの目に見える雑多な現象の奥にある唯一絶対のもので、それがこの現象世界を支えている。それは何か、無である、と彼は考える。復の卦で「復はそれ天地の心を見るか」とあるのを解釈して、彼はこういっている。

「復」とは根本にたちかえることである。「天地の心」は根本にある。いったい、動がとまると静であるが、真の静は動に対するものではない。語がやむと黙であるが、真の黙は語に対するものではない。してみると、天地は広大でそこに万物が備わり、雷動風行、自然の変化はさまざまであっても、寂然《じゃくねん》と静かな至無《しむ》の境地こそが、その根本である。……もし有を心としているということなら、天地はとてもこのように多種のものを合わせ持つことはできないであろう。（王弼『易注』）

ここでは、動静・語黙の対立を超えた窮極的な無の境地が強調されている。その無によってこそ万象は存在し、またその意味を持つとされるのである。そして、これと関係が深いのは彼の『老子』の注の次のことばである。

天地は広大であるが、その心は無である。……そこで日々に「復帰」して熟考するなら、天地の心もはっきりする。……私心を滅し、身体を無にすれば、世界はよく治まって遠方からもなついてくるが、自分を立てて偏見を抱くのでは、一身すら満足に守れない。……万物は貴重ではあるが、無によって働きをとげるのであって、無を外にしては形をとることもできない。（第三十八章）

無の強調が、「復」とか「復帰」ということと関係づけて説かれていることに、注目しよう。「復」は『易』の卦名、「復帰」は『老子』のことばである。しかし、その意味はもともと『易』と『老子』とでは違いがあった。復の卦の「経」文では「反復」とか「来復」といわれていて、それはくりかえして再び勃興する意味である。冬が去って春が再びめぐってくるのを「一陽来復」というが、復の卦の形䷗は、まさにそれを示している。陰ばかりのところに一つの陽が下から勃興して浸蝕してくる形である。王弼の注は、それを無視して老子流の解釈を下したのである。根本の無の立場に「たちかえる」というのは、『老子』の影響による王弼独自の解釈であった。

この「たちかえる」ということは、『老子』の注でいわれているように「私心を滅し、身体を無に」することである。日常の生活に追われて、相対的な現象の世界にとらわれている眼を転じて、おれがおれがという主観的な我見を去り、客観的な公的世界と一体になろうとする努力である。そこに無の世界がひらけるとされる。

この現象世界のすがたは、さまざまな変化差別を持っている。それを仮りのものだとか嘘《うそ》だとかいうのではないが、それがそのようにあるのは、それらの根底をつらぬく普遍的な無によってである。だから現象の諸相にとらわれない自由な立場で主体的なあり方を遂げていくためには、この無の立場にたちかえる必要がある。現象の奥に沈潜して無の深淵にゆきつき、そこからして現象の真の意味を洞察するのである。それが、王弼の実践的な関心であった。

「無」の思想の完成

無の思想は、もともと『老子』からおこったものである。それはやはり有（存在）の根底にあって有を成り立たせるものであるが、その意味は、無が有を包み込んで優位に立つという論理であった。たとえば、「無為《むい》にして為《な》さざるなし——ことさらなことをしないでいて、すべてのことをなし遂げる——」とか「無私であるからこそ私を遂げることができる」などというのは、無為や無私が単なる無ではなくて、大いになし遂げて私を立てる有の立場を包摂していることを示している。それだけ、現実の有から離れない無の思想だといえる。無為とか無私とか無知・無欲という類のことばは多くても、無そのものについての思索に乏しいのは、そのためであった。『老子』では、形而上学への萌芽はあっても、思索はまだそこまでの深まりを見せていない。しかし、王弼では無の超越性ははっきりしてくる。つまり無の存在性が洗い落とされてくるのである。

先の動静・語黙の対立を超えた真の静・真の黙を説くところでも、そのことははっきりしている。「寂然至無」が、もはや対立世界の中での無ではないことを、それは示しているのである。いまや『老子』で最高の窮極概念とされた「道」でさえも、それが「道」としてのあり方を遂げられるのは、やはり無によってのことだと説明される。

万物は万形であるが、その中心は一である。何によって一になるかといえば、それは無によってである。（第四十二章）

道は、無形無名であるからこそ、万物を形成できるのだ。（第一章）

およそ称号や名前のあるものは最高のものではない。道とは称《よびな》のあるものの中での重要なものであるが、称のないものの重要さには及ばない。（第二十五章）

『老子注』にみられるこうしたことばを読むと『老子』で「道」の属性とされた無は、いまや逆転したことがはっきりする。無は、王弼にとって、最も重要な基本概念として、その哲学の中心に座を占めており、しかもそれは存在性を洗い去った形而上学的な形式概念に近いものとなっている。老荘的な無の思想は、王弼において完成したといってよいであろう。

王弼の功績

王弼の『易注』は、こうした無の哲学をふまえながら、老子流の処世哲学を説いている。柔弱で謙《へりくだ》った態度をよしとし、自然の流れにさからわず、上位にあって驕《おご》らず、下位にあって憂えず、わが身を慎んでいくという処世法である。経典として、それは教訓の書ともなった。後世、王弼の『易注』を非難する者は、儒教の経典を老子の思想で解釈したという点を責めたてる。復の卦の解釈でも明らかなように、それは事実である。ただしかし、『易』と『老子』とを並べあげて尊重するのは、当時の趨勢でもあった。それを思想的に掘り下げて、哲学書としての『易』の面目をはっきりさせたのが、王弼の功績であった。

王弼の少年時代、彼をただものでないと認めた高官の裴徽《はいき》は、「まことに無は万物のもとづくところだが、聖人孔子はさっぱりそれを説かないのに、老子がしきりにそれを説くのは、なぜだろう」と質問した。王弼は答える、「聖人はぴったり無と一体になっています。それに無は教えられないものですから、説かないのです。老子は有の立場にありますから、その至らないところをいつも口にするのです」。

この答えは裴徽をうならせた。老子よりも孔子を一段高いものとみる、しかし実質的な思想内容ではむしろ老子をこそ尊重するという、時代の好尚を適切に表現したからであった。*2 王弼の『易注』の立場も、またそれによって明白であろう。それは、聖人孔子の経典をそれとして尊びながら、その内容を老子流に深化して、思想の書として解釈することであった。

注

＊1 「潦水尽きて寒潭清し」——清の初めの黄宗羲『易学象数論』のことば。

＊2 『世説新語』文学篇。

三――宋代哲学の精華・程伊川の易

現象を支える「理」の世界

王弼が死んでから七百年あまりが経って、北宋の朝廷がひらく。魏・晋・南北朝という分裂時代があり、隋・唐という統一時代があり、再び五代という動乱の時代を経て、ここにまた安定した統一時代を迎えた。その建国はわが国の村上天皇の時代、平安の中期である。そしてここに取り上げようとする程伊川《ていいせん》は建国からほぼ百年後の人で、まさに北宋朝廷の全盛期に生をうけたのである。

程伊川の名は頤《い》という。伊川はその号である。兄の明道《めいどう》、名は顥《こう》と共に、朱子学に連なる北宋期の代表的な思想家であったが、兄弟の性格はまるで違っていたという。明道は一度も怒ったことのない心のひろい春風駘蕩《たいとう》とした人物であったが、伊川の方は烈しくきびしい気性で、ものごとをいいかげんで済まさない理づめのきちょうめんな人物であった。かつて未亡人の再婚が許されるかと問われた時、「貧乏で身よりがなく、このままでは餓死する」というのに答えて、「餓死することなどは何でもないことだ。二夫に仕えずというのを破って節義を失うことこそ重大だ」といったのは、有名である。このリゴリスティックな倫理観はもちろん彼の学説と深く関係しているが、またそのきびしい気性から出てきたものであった。

伊川の哲学は、「理」の哲学だといわれる。朱子によって大成される宋代の哲学を「理学」ともよぶのは、「理」という概念を中心としているからである。それを儒学の領域にひき入れたのは程明道であるが、理学としての特色をはっきりさせたのは弟の伊川であった。伊川は、万物の生成を陰陽の気によるものと考えながら、その物質的な「気」のほかに、その現象の背後にあってそれを意味づけ根拠づけるものとしての「理」の存在を強調したのである。『易』の「繋辞伝」には「一陰一陽を道と謂う」とあるが、伊川はそれを解釈して次のようにいっている。

陰陽を離れて別に道があるのではないが、陰陽が運行するその根拠（陰陽する所以《ゆえん》）が道であり、陰陽そのものは気である。気は形而下のもの、道は形而上のものである。

『易』のことばは、文字どおりに解釈するかぎり、陰陽することそのことが道だと読める。伊川はそれをことさらに否定して、「陰陽する所以」というものを考えた。つまり陰陽そのことのほかに、それとは次元を異にする根拠を考え出して、そこに道を当てたのである。この道は「理」と同義であった。つまり、伊川の思考は分析的思弁的で、「理」の世界というものを、この現象の背後の形而上学的世界として、はっきり樹立しようと指向したのであった。

「陰陽する所以」が道だという解釈は、後に朱子にうけつがれて、朱子学の重要な論理を構成することになる。だから、朱子学に反対して古学を起こしたわが国の伊藤仁斎や荻生徂徠は、いずれも口をきわめてその「所以」という語の増加を攻撃した。それによって、このことの問題性ははっきりするであろう。「理」を中心に立てるか、それを否定するかということが、その解釈を違ったものにさせているのである。伊川の哲学が「理」の哲学だという意味は、そこにあった。

『易』の尊重された時代

いったい、宋代の儒学は、中国思想史のなかで最も思弁的で、それだけに哲学的である。もともと思弁的な傾向は儒学よりは老荘の道家思想にあり、また仏教にあった。だからこそ、王弼は老荘の無によって『易』を解釈したのである。宋が勃興して新たな思想の担い手となったのは、士大夫階級あるいは読書人階級とよばれる階層の人びとであった。出身の身分にかかわりなく、儒教の教養を身につけ、それによって高級官僚となることを期待される人びとである。彼らには、実力しだいで宰相にもなれるという明るい展望があり、それだけに国家社会に対する健康な責任感もあった。形骸化して思想的に無力なものとなっていた儒学の立て直しが、この人びとによって企てられたのは、まことに自然である。そして、それは、一面で儒学本来の道義性を生き生きした実践性において蘇生させるとともに、他面では仏教や老荘の思弁的な宇宙論や心性論を導入して、その基礎固めをすることによって、果たされた。もちろん、儒学の徒として、仏教や老荘を表だって学ぶことには、はばかりがあった。口をきわめてその悪口をいったりもする。しかし、思弁的な思想家の多くがそこから少なくとも影響を受けていることは、否めない。

この場合、儒教の経典で尊重されたものは、まず『易』であった。そこにみられる儒教的な道義性と、天人合一の汎神論的な基礎づけとが、彼らの目指すところによく適合したからである。そして、王弼の先例を受けて、思弁的な深い思索を加えるのにも適していたからである。

老荘や仏教に対抗して、それに負けない深遠な儒学思想を説くために、『易』が利用されることになった。『易』の思想やことばによりながら、宇宙論を説いたり道義的な実践論を展開したりすることが、次第に盛んになっていく。程伊川の『易伝』も、そうしたなかで生まれたのである。

『易伝』に全精力をつぎこむ

だが、伊川の目指したものは、そうした断片的な『易』の利用ではなかった。まさに、王弼を承けついで、それに代わる『易』そのものの総合的体系的な把握を試みることであった。王弼の『易注』は、唐の「五経正義」にも採用されて、他の多くの注釈をぬきん出る大きな影響力を持ってきた。『易』を占筮や象数から解放して義理の書として確立した点では、それは北宋の思弁的な風気とまったく一致する。しかし、決定的に困ることは、それがあまりにもあからさまに老荘的でありすぎることであった。伊川の『易伝』も、王弼の注から多くを学びながらも、その老荘の無の立場を不満としたのである。そして、『易伝』こそは、伊川が死の前年まで推敲に推敲を重ねた畢生の力作であった。

それが、一応の完成をみたのは、彼の死のほぼ十年前である。しかし、彼はそれをすぐには人に伝えなかった。なお改修の筆を加えて、七十歳を過ぎてから世に出そうと心に期したのである。七十を過ぎてから門人がその公表を懇請したとき、彼はこう答えた。「易伝を公表しないのは、自分の精力がまだ衰えていないので、少しでも善いものにしたいと思うからだ」。こうして、いよいよ死の前年、七十四歳の病の床で、はじめてその著を門人に伝えたという。伊川の精力がこの書に結集しているといってもいいすぎではないであろう。では、彼の易の解釈はどのようなものであったか。

変化する事象を通して「理」をつかむ

王弼の場合と同様に、彼もまた象数を尊ぶ立場を、術者の行なうところで儒者の務むべきことではないと否定した。易の根源は「理」にあって、それこそが重要だというのが、伊川の考えである。「理があって後に象があり、象があって後に数がある。易は象によって理を明らかにしたものである。象や数の末端にとらわれてはならない」と、彼は門人をさとしている。それは、ちょうど王弼の「得意亡象《とくいぼうしょう》」を思い出させる。王弼の「意」が、伊川では「理」になった。そして、それに対応して、思索は一層深まった。

「理」の意味が形而上学的に精密に考えられるとともに、「理」と象との関係もまた追究されることになった。象は、いうまでもなく、易の六十四卦の形である。もちろん、三百八十四爻の状態もそこには含まれている。伊川にとって、それは、この現実世界の万端の事象の象徴であった。世界の状況は千変万態である。それを整理して、かりに六十四卦によって代表させたのが、易である。しかも、この六十四とおりの状態は、決して静止的なのではない。王弼が卦を時としてとらえていたのを正しく承けついで、伊川は「易とは変易である。時にともない変易して、中心の道に従わせるのだ」といっている。易の六十四卦は複雑な事象の変動に対応するその変化のすがたである。そして、それを通じて明らかにされるものが、中心の拠りどころとなる道であった。

してみると、易の象を玩味し、「卦辞」「爻辞」を熟読して、それを現実の経験に照して解釈することは、そのまま世界の事象の全貌を把握する営みとなるであろう。『易伝』は、要するに、こうした観点で『易』の辞《ことば》を解釈したにすぎない。だから、辞によってその意味を把握することは、各人の努力に待たねばならない、と彼はいう。重要なのは、辞や象を通して把握されるべきその意味——道であり「理」であった。

本体と作用

事象は現象としてあらわれたもので、明白である。しかし、「理」はその事象の奥にひそむものとして、きわめて微妙でとらえにくいものである。

至って微《かすか》なるものは理なり、至って著《あきらか》なるものは象（事）なり。

しかし、この両者は、まったく個別的に離れてあるのではない。この両者の関係をはっきり説いたのが、伊川哲学の特色であった。

彼はそれを、

体と用と源を一にし、顕と微と間《へだて》なし。

と表明した。顕と微が先の顕著な事象と微妙な「理」をさしていることは、いうまでもない。体と用は本体と作用である。現象の奥にひそんで現象を意味づける根源の実体、それはもちろん「理」のことである。そして、その実体の現象化した働きこそは、事象である。「理」と事象とは、本体と作用との関係でとらえられたのであった。だからこそ、両者は同一源である。そしてまた、間隔がなくぴったりと相即して合致しているのである。同じことは、また「事理一致《じりいっち》、微顕一源《びけんいちげん》」ともいわれた。事象を離れた「理」はなく、また「理」を離れた事象はないのである。

ところで、「理」は根源的な実体として唯一絶対のものであるのに、事象はさまざまで千差万別である。「事と理は一致」といっても、唯一の「理」がどうして雑多な現象と一致するのか、それが問題である。伊川はそのことを「理一分殊《りいつぶんしゅ》――理は一つであるがさまざまに分かれる――」と説明した。つまり一つの「理」が分かれて千差万別の現象のうちに宿るというわけである。しかし、なお問題になるのは、その分かれ方である。唯一の「理」がどのようにして分かれるのか。またその分かれてできたものと、もとの「理」との関係はどうか。もし部分と全体というように考えれば、結局「理」もまた雑多なものになるのではないか。

一つの月もさまざまにみえる

伊川の論理は、ここで一つの比喩へと転ずる。それは月のたとえである。晴れた夜空に光る月はもちろんただ一つであるが、そのすがたは地上のさまざまなものに映るであろう。大海原にただよう月、急湍《きゅうたん》に乱れる月、水盤に静まる月、杯の小さな月……。もとの月は一つでも、その映り方はさまざまである。「理」のあらわれ方はこれと同じだという。してみると、それは全体と部分との関係ではない。月が分割されて映るのではないように、一つ一つの現象に宿る「理」は本来完全なすがたであるはずである。ただ、それを受けとる側の状況によって、その形が変わるだけだ。濁った水に映る月は、やはり映っているはずだが、すがたは見えない。「理」もまた個物に宿っていても、はっきりしない場合が少なくない。

伊川の説明は十分に徹底しているとはいえないが、「理」の唯一性がそこなわれないで個物に内在するという関係は、一応理解できるであろう。易の六十四卦が世界の多様な事象の象徴であるとすると、もちろん「理」はそれぞれの卦象に内在しているわけである。易が「さまざまな時（事）の変化を通じて中心の道（理）に従わせるものだ」といわれていたことの意味が、いまや明らかになったであろう。伊川のこの形而上学的な宇宙論は、後に朱子によってさらに精密に説かれることになる。そのことはここでは省略するが、彼の易はそうした哲学に支えられた強い道義的解釈につらぬかれている。結局、六十四卦にあらわれた事象として彼の考えるものは人事現象としてであり、それだけにまた道徳的な事象であった。

道義性の基盤

たとえば、艮《ごん》の卦の「彖伝」に「その止まるに艮《とど》まるとは、その所に止まるなり」とあるのを解釈して、彼は「父は慈に止まり、子は孝に止まり、君は仁に止まり、臣は敬に止まる」と述べている。『大学』の「至善に止まる」の意味をかりて君臣父子の倫理を説いた卦として解釈したのである。艮の「卦辞」では「その背に艮《とど》まる」とあり、「彖伝」でも「艮は止まるなり」とはあっても、「止まるべき時には止まり、行くべき時には行く」などともあって、伊川の解釈は原義をとらえたものとはいえない。しかし、伊川のような解釈によって、『易』は儒教経典にふさわしい道義の書としての性格を強めたわけである。そして、その道義性は、先にみたような「理」の顕現として説明づけられる時、個別的なものを超えた強力な普遍的基礎を得ることになった。

いま一つの例をあげよう。家人の「彖伝」で「男女の正しきは、天地の大義なり」とあるのを、「尊卑内外の道が正しいのは、天地陰陽の大義に合致することである」と解釈した例である。男女のあり方を「尊卑内外の道」としたのは、道義的な規制の強化であるが、「天地の大義」に「陰陽」の二字を加えて、それに「合致する」と説いたのは、また深い意味がある。「天地陰陽の大義」というものが客観的に立てられたが、伊川にとって、その大義とは宇宙自然界をつらぬく「理」である。男女の正しいあり方――尊卑内外の別を立てることが、根源的な「理」に合致することだとして提示される時、それはのっぴきならない避けることのできない規制力として、人びとの上に蔽いかかるであろう。

「理」を中心とする道義性とは、このようなものである。それは朱子によって承けつがれ、やがて反朱子学の人びとから「理は人を食い殺す」とまで批判されるほどになった。その発端は程伊川にあるといってよい。いずれにしても、伊川の『易伝』はそうした強い道義性を宇宙論的思弁のもとに訴えるものであった。『易』はいまや完全な義理の書、道徳哲学の書となったのである。

華厳哲学の影響

事理《じり》の一致を説く伊川の哲学は、実は華厳の哲学から学んだものであるらしい。華厳の教理では、その世界観を説明して、理法界《りほっかい》観・事理無礙《じりむげ》法界観・事事無礙法界観の三段階を考える（澄観『法界玄鏡』）。第一は現象の奥の「理」の世界だけを真実と認める立場、第二は現象と「理」とが相即して一致すると見る立場、第三は「理」の絶対性から現象の個別間の差異を否定して、万事を平等無差別に見る立場である。伊川の立場が、この第二の事理無礙に一致しているのは、見やすいことであろう。華厳の哲学では第三の立場を最高としているのであるが、儒教としては現実世界の区別までも否定することができないのは当然であった。伊川は華厳の哲学を学びながら、儒者としての一線を守って、独自の立場をうち出したものであろう。

義理の易として取り上げるべきものは、まだまだ多い。宋学の大成者としての朱子は、王弼や程伊川の軽視した占筮や象数を再び重視して、義理と占筮との総合をはかった。それが『周易本義』である。しかし、清初になるとその象数学を道教的な技術の混入だと批判して、再び純粋な義理の易にかえそうとする動きが活発になった。黄宗義や王夫之《おうふうし》の易学がそれである。それを詳しく跡づけるには、ほとんど中国思想史の全体にわたる叙述が必要である。ここでは、最も代表的なものを選んだにすぎないが、中国哲学のなかで占める易学の重要さは、すでにほぼ十分に理解されたことであろう。

V——易と中国人の考え方

一――対立と総合

対立しながら引き合う関係――対待

　易といえばすぐに思い浮かぶのは、あの不可思議な八卦の形である。そして、その形は、要するに陰と陽との二つの符号の組み合わせでできていた。陰陽という言い方は後の時代のものだとしても、そもそも相反する二つの符号（⚊・⚋）がもとになっていることに変わりはない。易にとって、この相反する二つの対立ということこそは、最も基本的な構成原理であった。易の思想をみようとするこの章で、まず取り上げねばならないのは、これである。

　二つの対立というのは、実は対立ということばだけであらわすのはふさわしくない。この二つは確かに反対ではあるが、たがいに排斥し合う反対、相容れない矛盾した関係ではなくて、逆にたがいに引き合う関係、相手があることによって自己があるという関係である。碁仇《ごがたき》は憎さも憎し……という諺もあるが、反対でありながら引き合うという関係はこの現実にもある。対立という関係は、そもそも論理的にいって両者の存在を必須の要件とするであろう。相手があってこその対立である。易の二つの対立では、その点に重点がおかれている。そういう関係を、中国のことばでは対待《たいたい》という。たがいに対立しながら、しかも、たがいに相手の存在によりかかって共存している関係である。相対し相待つのである。そこには相互の対立とともに相互の依存がある。

男と女の関係として

易の⚊と⚋との符号が、単純な反対でなくて対待関係を示すものだということは、それらが陰陽のほかに剛柔とか男女とかの観念で説明されていることで、はっきりする。剛と柔、男と女という関係は、反対する存在として相容れないところはあるが、またたがいに補い合うものとして、どちらもなくてはならないものである。おもしろいのは、六爻の関係についての「応」とか「比」とかいう標準である。[*1]

「応」とは六爻の内卦と外卦との対応関係をさすもので、相対する位（初と四、二と五、三と上）に剛爻と柔爻が来るのを吉とみ、剛と剛、柔と柔が来るのは好ましくないとすることであった。また「比」というのも隣り合う位に剛と柔が並ぶのを比《した》（親）しい関係とみたのである。ここには、剛と柔とが反対するものであるからこそ、対応がよいとする考えがある。卑俗ないい方をすれば、異性であるからこそ引き合うのである。男女の関係に引き当てて考えてよいであろう。

この「応」の形が最もぴったりしている例として咸《かん》の卦䷞がある。柔と剛とが対応するものとしてこれはもちろん吉兆である。そして、適切にもまた、とりわけて嫁取りに吉であるとされている。そして「彖伝」の説明では、「咸とは感ずることであり、柔が上で剛が下、剛と柔との二気が感応して相交じわる」かたちだと述べている。陰陽、剛柔はたがいに感応し合うのである。そして、そのことによって世界は調和を得たあり方を遂げる。「天と地と感じ合って万物は化生し、聖人は人心に感じて天下は和平である」と、咸の卦の「彖伝」はつづいている。

⚊と⚋との符号を、男女の性器のシンボルから出たとみる説があることは、先に紹介した。その説が正しいかどうかは別にして、二つの対立を男女に見立てることは一般的であった。

「繋辞伝」ではいう、「乾の道は男性を成り立たせ、坤の道は女性を成り立たせる」。

乾は陽の代表、坤は陰の代表として、いわれているのである。対立しながら相互に依存し合うという関係は、やはり男女の関係で考えるのが、最もわかりやすい。電気のプラスとマイナスとが引き合うという関係も、考えてみればなかなか意味深いことである。

全体をつらぬく対待関係

この二つの対待関係は、陰爻と陽爻という二本の爻の間だけのことではなくて、易の全体をつらぬいている。六十四卦・三百八十四爻の全体が、もともと二つの爻が組み合わされて四つになり、四つにまた二つが組み合わされて八つになるというように、どこまでも同じ対待の二つがつらぬいていることを思えば、それは当然だといえる。しかし、それだけではない。その延長ともみられるけれども、易の全体が対待を重視していることは、いろいろの形であらわれているのである。

先の咸の卦䷞についてみると、それが咸であることは、六爻のそれぞれが「応」の形であることのほかに、また別の意味もあった。それは内卦と外卦との関係である。下の内卦は艮《ごん》☶、上の外卦は兌《だ》☱で、当然のことながら、卦としてもまったく反対の形である。そして、「説卦伝」によるとそれは少男と少女とに当てられている。「柔が上で剛が下」というのは、その意味であった。「二気が感応する」のは、だから、内卦と外卦との間のことでもあったのだ。

八卦の間でのこうした対応関係は、少し注意すると、いよいよ明瞭である。乾☰と坤☷とが男女であり、父母であり、天地であるというのは、もちろん明らかな対待である。震《しん》☳と巽《そん》☴とが雷風、坎《かん》☵と離《り》☲とが水火、艮☶と兌☱とが山沢というのは、やや理解しにくい点があるかも知れないが、これもまた、「説卦伝」では次のようにいわれている。

水と火とが助け合い、雷と風とが逆らうことなく、山と沢とがその気を通じ合って、そこではじめて変化が起こり、万物が十分にできあがる。反対どうしの卦が、反対であることによって、一組として積極的な役割をも果たすことが、そこには示されている。

この関係は、八卦から六十四卦にひろがっても当てはまる。「雑卦伝」のことばに目をとめてみよう。

乾䷀は剛であり坤䷁は柔である。比䷇は楽しみであり師䷆は憂いである。臨䷒と観䷓との義《いみ》は、与えるのと求めるのとである。……損䷨と益䷩とは盛と衰との始めである。

「雑卦伝」は、このように、六十四卦について二つずつの組み合わせを考えたものである。その意味づけの根拠は別にして、二つの組み合わせは確かに反対の卦を選んだもので、決して恣意的なものではない。卦のかたちが反対だから、そこで一対になり、その意味もまたそれに応じている。ここにも対待の考え方がつらぬかれているといえよう。

「雑卦伝」の記事がどこまで古く遡って考えられるかには問題もあるが、この組み合わせの考えはそもそも易の順序にもみられる。六十四卦の順序の意味ははっきりしないが、それが反対する一組ずつを連鎖的につなぎ合わせたものであることは、まちがいない。乾の次に坤がくるように、泰《たい》䷊(安泰)の次には否䷋があり、損の次には益があるというようにつづく。反対であることによって結びつくという考えは、ここでもはっきりしているであろう。

中国人の思想の基底にあるもの

「繫辞伝」はいう、

「三人が行く時は一人が減り、一人で行く時はその友が得られる」というのは、意向が一致することをいったものだ。

三人では多すぎ、一人では不足。二人でこそ一組という考えをあらわしたものである。

対待観の出発点としては、おそらく、天があって地がなければ自然界は生成変化しない、男がいて女がいなければ人類の生存はつづかないといった、そうした個別的な素朴な考えからであったろう。最初から宇宙の原理としての抽象化された形の陰陽二元の思想があったのではない。しかし、この素朴な考え方にもすでに重要な思想傾向がみられる。それは、この世界の現象を一面的にはみないで、必ず対立した両面からみようとする態度である。いいかえれば、一つのものごとには必ず両面があるということを意識することであった。

対待が一つのものごとの両面であるとすれば、それは当然一つに統合されるべきものであろう。だからこそ、その対立は、どこまでも争って相手を排斥するような対立ではなかった。西洋的な二元論的対立とは違うところである。だからといって、その対立が無視されてよいというものではない。世界の事象がすべて対立的な両面を持っているのは厳然たる事実だからである。むしろ、その対待の関係を正しく認識して現象に対処することこそが必要である。易はそこに重点をおくものであった。そして、そうした対待の認識は、実は易だけのことではない。それは、中国人の思考の基底を支える重要な観点であった。

そこですぐに思い浮かぶのは老子の思想である。

現実の相対性を説く老子

有ると無いとはたがいに相手によって生まれ、難しさと易《やさ》しさともたがいに相手によって成り立ち、長いと短いともたがいに相手によってあらわれ、高いと低いともたがいに相手によって傾斜ができる。（第二章）

有無、難易、長短、高低といったものがすべて相対的で、だから、そのいずれかの一方だけに執着して価値判断を下すのは愚かなことだという。人びとは美しいものを美しいとして確かなものと考えているが、それは実は醜いものである。善と悪との関係も同じことだ。善であり美であるとばかり考えてむやみに執着しているが、それが本当に善であり美であるのかということを、俗人は反省する立場を持たない。

貴いものは賤しいものを根本としており、高いものは低いものを基礎としている。（第三十九章）

貴と賤、高と低のつらなりは、それぞれ反対であることによって離れられない関係である。貴が貴であるためには賤が必要であり、高が高であるためには低が必要である。むしろ、貴には賤が、賤には貴が含まれているという、相互関係にあるといってよいであろう。

老子の主眼は、こうした現実の相対性を明らかにすることによって、人びとを絶対の「道」の立場に導こうとすることである。だから、

「唯《はい》」というのと「阿《ああ》」というのと、そのへだたりはどれほどあろう。善いといったり悪いといったり、それもどれほどの違いがあろう。(第二十章)

と、対立を打ち消す方向でのことばが多い。そして、その点を特に強調するのが荘子である。

対立を超えた境地を説く荘子

荘子の斉物論《せいぶつ》――物を斉《ひと》しくする論説――は、彼の思想の精華であるが、それこそ、現実の事物の対立をすべて相対的なものだとして、それを超え出たとらわれのない境地へと導くものであった。

「彼《あれ》は此《これ》から出てくるし、此もまた彼によってあらわれる」といわれる。彼と此とは方生《ほうせい》の説――ちょうど一緒に生まれるという関係――である。しかしまた、ちょうど生まれることはちょうど死ぬことでもあり、死ぬことはまたそのまま生まれることである。……してみると、善しとしたことに身をまかせて悪いことに身をまかせたことになり、悪しとしたことに身をまかせて善いことに身をまかせたことにもなる。そこで、聖人は自然の照明にゆだねて、ひたすらそこに身をまかせていく。そこでは此も彼であり、彼も此である。……彼と此とが対立をなくしてしまった絶対の境地、それを道枢《どうすう》――道の中心――という。（斉物論篇）

老子も荘子も、ねらいは別のところにあるけれども、現実の対待関係をうったえる点は易とまったく同じである。老子や荘子の「道」の思想が生まれたのは、むしろ、あまりにも差別の多い対立の多い現実を強く認識した結果のことだとしてよいであろう。ただ、それを絶対的な矛盾的対立とは見なかったのである。こういう対待関係はたがいに相手に依存するものであるから、ある意味では相手をそれぞれの内に含んでいるともいえる。先にあげた「貴は賤をもって本《もと》となす」（『老子』第三十九章）というのが、それを示すものであった。

禍《わざわい》は福の倚《よ》るところ、福は禍の伏《かく》るるところ。（『老子』第五十八章）

ここでは、禍のなかに福があり、福のなかにまた禍がある。そういう形で禍福は対立しているのである。

陽中に陰あり、陰中に陽あり

反対するものがたがいに相手を内に含むというこうした関係は、もちろん易にもある。

尺蠖《せきかく》の屈《まが》るは、信《の》びんことを求むるなり。（「繫辞」下伝）

尺とり虫が身をちぢめるのは伸びるためである、という。ここでは、屈することと伸びることとの対立が、離れがたい関係で考えられている。一歩を進めれば、屈のなかに伸が、伸のなかに屈があることになるであろう。坤の上六の「爻辞」では

「竜が野で戦う、その血は玄黄」とあるが、それを「文言伝」はこう説明する。

陰が〔盛んになって〕陽にまぎらわしいほどになると、必ず「戦う」。ここには陽がないのではないかと疑われるから、それで「竜」といったのだ。

坤はいうまでもなく陰爻ばかりである。それが上の極点までくると陽爻のように勢いづく。そこで陽と争うことになる。陽と争うからには、この陰爻ばかりの坤にも陽の成分があるわけである。それをあらわすために、乾の卦で使われていた「竜」の字を入れたのだという。純陰である坤の卦にも陽性がひそんでいるのである。

陰の卦には陽が多く、陽の卦には陰が多い。（「繋辞」下伝）

これは、八卦のなかで乾坤を除いた六卦についていわれたことばである。震《しん》☳・

坎《かん》☵・艮《ごん》☶は一陽二陰の卦で、つまり陰が多いから陽の卦、巽《そん》☴・離《り》☲・兌《だ》☱は一陰二陽で、つまり陽が多いから陰の卦である。その理由はともかくとして、「説卦伝」ではそのとおりに、震は長男、坎は中男、艮は少男であるのに対して、巽は長女、離は中女、兌は少女に当たるとしている。

そして、この道理からすれば「陽中に陰あり、陰中に陽あり」で、男性のなかにも女性的要素があり、女性のなかにも男性的要素があるということになるであろう。この関係は、のちに述べる変易《へんえき》の思想をみることによって、一層明らかになるはずである。

西洋的二元論との違い

さて、こういう対待の関係は、西洋的な思考になれた私たちには、何かあいまいでわかりにくいものに思えるかも知れない。それはやはり二元論には違いないが、西洋的な完全な意味での二元論ではない。西洋的な対立というものは、プラス一、二と加えられて天までとどく方向と、それに対してマイナス一、二と地の底まで進む方向との、そうした指向性を持った対立である。この二つは○を起点として交わることがない。この関係は神と悪魔の関係に最も象徴的にあらわれている。あるいは霊と肉との対立といってもいい。二つは絶対に相容れないものとして考えられている。

中国人はキリスト教的な窮極の一神を持たなかった。古代のもろもろの神々は、宗教的な最高の一神に高められないで、現世的世俗的な場に引き下ろされたのである。そして、最高神を持たないことは、それに対する悪魔を持たないことでもあった。ゲーテのファウストにみられるメフィストフェレスの誘惑は、だれの心にも起こる。しかし、あれほどのきびしい二世界的な対立で神と悪魔の存在を示すことは、中国にはない。

このことでわかるように、中国では一般に矛盾関係についての考察は乏しい。なるほど、矛盾ということばの出典として『韓非子』の説話がある。楯《たて》と矛《ほこ》を売る男がこの楯はどんなものでも突き破れないと宣伝する。次いでまた矛を売るためにこの矛はどんなものでも突きとおせると宣伝する。一人の客が、お前の矛でお前の楯を突いたらどうなるかと質問して、この男、答えに窮したという。何物でも突きとおせる矛と何物にも突きとおされない楯と、これは確かに相容れない。韓非子は論理的な矛盾の存在をそれによってあらわそうとしたのである。こういう矛盾衝突はそののちも考えられている。けれども、話はそこで終わる。そういう論理は通用しないということで、実用的に処理されて、矛盾の関係そのものをつきつめて考えていく思考は、そこにはない。

善悪について

中国思想で伝統的に重点をおかれてきたのは、いうまでもなく道徳思想である。その善と悪との対立はどうであろうか。漢代では、陽を善に、陰を悪に当てる考え方もあったから、それからすると、陰陽もきびしい対立ではなかったか、と疑われる。が、話は逆である。善と悪との関係も、対待とまではもちろんいえなくても、決してきびしい対立ではなかった。悪魔がいないということは、この場合にも関係する。善も悪もこの地上のものであって、地下の地獄にまで落ち込む悪はない。善と悪とはある意味でつづいている。

たとえば孟子である。その性善思想は、本性に具わる善の萌芽を養い育てる修養説と結びついている。ところが、悪の根拠については何の説明もない。私たちが修養を怠る時、感覚的な欲望にひかれることになって、そこに悪が起こるとされる。善が消えたところに悪が出てくるという考えで、いわば悪は善の欠如体である。悪のほうから積極的に善をつき崩すという、デモーニッシュな働きは考えられてはいない。孟子に対抗した荀子の場合も、大差はない。荀子にとって本性は自然のありのままであり、だから後天的な礼の修養の結果と比べて価値的に劣る、そこで本性は悪だともいわれるのである。「善は正理平治、悪は偏険悖乱《はいらん》」と定義されて、もちろん対立観念であることははっきりしているが、その定義そのものも社会状態についての具体的な説明であった。善と悪とはつづいているといってよいであろう。

虚実の論

ここで虚実論というのを見る必要がある。陰陽説と同様に、中国人の好んで用いる二元的な説明法である。虚とはからっぽの空しいこと、無なること、微妙なわかりにくいこと、実とは充実充満していること、有なること、具体的なことである。もちろん反対概念であった。しかし、これもまたがいに引き合い助け合う関係で、陰陽の場合とまったく同じであった。虚は虚だけでは存在せず、実もまた実だけでは存在しない。両者は関係し合ってこそ存在する。清の惲南田《うんなんでん》は画論についてそれをみよう。

このごろの人は筆墨を使うところだけに苦心するが、古人は筆墨を用いないところにこそ苦心した。そこのところがよくわかれば、何事も明らかになって絵の技も進むであろう。(甌香館画跋)

中国画は空白を尊ぶ。そこに積極的な意味を持たせるのである。西洋画のように色彩によって面をあらわし、それで画面を埋めつくすのとは異なる。筆墨を用いない空白のところ、それがこの場合虚である。それは筆墨を用いて線となり色となった実と対応してその意味を発揮する。虚と実とはそれぞれに相対立しながら助け合ってその絵画を引き立たせるのである。明《みん》末の石濤《せきとう》はいう、

むかしの人の絵は、虚と実とが調和を得ており、内容と形式とが働きを一致させている。画法の変化は完備して少しの欠点もない。(苦瓜和尚画語録)

惲南田はまたいう、

古人の用筆では、びっしりつめて描いたところにも、いよいよ虚霊のおもむきがあるが、このごろの人では、ちょっと描いただけでもう煩《わずら》わしい。虚が実のなかにあれば、絵の全体はすべて霊妙である。(甌香館画跋)

虚が虚であることによってそこに実の働きを生むように、実もまた虚の働きをうちに含むことによって絵の全体が引き立つ。それは、虚中に実を持ち、実中に虚を

持つことである。董其昌《とうきしょう》の場合には虚実の意味はやや変わっているが、両者の関係は同じである。

虚実とは、各段階での筆の用い方の詳略をいう。詳密なところがあれば、また必ず粗略なところもあるというように、実と虚とをたがいに用いるべきである。(画禅室随筆)

虚実の対は、このほか書論にも詩文の評論にも見える。それは中国の芸術論の全般にとって重要な概念であった。

対句の技法

詩文にみえる対句《ついく》や対偶《たいぐう》の表現も、また対待と関係がある。中国の詩文の美しさはこの技法を無視して語れないほどにも、それは普遍的であり、また重要であった。『論語』の有名なことばは「文」と「質」という反対概念を提示した上で、その両者の調和を得た状態に理想的な君子のあり方を見出している。

質朴さが文飾よりも強ければ野人《やじん》であるし、文飾が質朴より強ければ史（文書係）である。文と質とが彬々《ひんぴん》と調和を得てこそ、はじめて君子だ。（雍也篇）

この「文」と「質」も対待の関係にあるが、その句法もまた対偶関係にある。第一句と第二句が対になって、その協同の上に第三句以下の高まりがある。

質勝文則野、文勝質則史＝文質彬彬、然後君子

対句の技法が最も進んだのは唐時代に成立した近体詩であろう。杜甫の「絶句」の一聯、

両個黄鸝鳴翠柳　両個《にわ》の黄鸝《きうぐいす》は翠《みどり》の柳に鳴き

一行白鷺上青天　一行《れつ》の白鷺《しらさぎ》は青き天《そら》に上る

また「国破れて山河あり」で有名な律詩「春望」の二聯と三聯、

感時花濺涙　時に感じては花にも涙を濺《そそ》ぎ
恨別鳥驚心」別れを恨んでは鳥にも心を驚かす
烽火連三月」烽火《ほうか》、三月に連なり
家書抵万金」家書、万金に抵《あ》たる

多くを語る必要はないであろう。隣り合う文字を見比べれば、その対偶の意味は明らかである。これはもちろん反対とか対立という関係ではない。だから対待とは異なる。しかし、二つのことを一組にしたまとまりで表現すること、逆にいえば一つのまとまりを二通りにして表現すること、そこに対待の認識と共通するものがあるであろう。

現実を重視する中国人

さて、易に代表される対待観が中国人の考え方の主流となっていることは、いまやほぼ理解されたかと思うが、それはいったいなぜであろう。その理由の一つは、中国人の考え方が、この現実存在に強くつながれているからだと思う。中国人はこの現実を確かな実在の世界と考える。それを仮の虚妄とみて、別に実在を求めるような思考は、仏教の影響によって起こりはしたが、きわめて微弱であった。考えてみれば、絶対的な矛盾的対立というものは、抽象された論理的世界でこそ存在するものである。この現実世界について、しかも実践的な立場で考えれば、世界の対立はまさに対待としてみるよりほかはないかも知れない。

まことに、対待観は実践的な立場で考えられたものである。宇宙論的な思考によって抽象的に生み出されたものではない。現実存在に向かって実践的に対応した思考が、一つのものごとには必ず両面があるということを発見したのであった。『易伝』を書いた程伊川はいう、天地の間、すべてのものに対がある。陰があれば陽があり、善があれば悪がある。善に満ち満ちた聖天子の堯の時代にも、やはり悪人は生きていた。(二程全書)

また兄の程明道もいう、

万物にはすべて対がある。陰と陽、善と悪。陽がのびてくると陰がちぢんでいき、善が増してくると悪はへっていく。……人はそのことを認識しなければならない。(二程全書)

すでにそれが厳然たる事実であるからには、その現実に対処する人間は、明道のいうようにその両面を正しく認識しなければならない。そして、それを総合する立場に立つ必要がある。それが、対待観にもとづく実践論であった。

易の総合は中の立場

君子は安にいて危を忘れず、存にあって亡を忘れず、治にいて乱を忘れない。だからこそ、身は安泰で国家も維持できるのである。（「繫辞」上伝）

そもそも易は、往（過去）を明らかにして来（未来）を察するものである。（「繫辞」下伝）

君子は微《かすか》なものを知って彰《あきらか》なものを知り、柔をわきまえて剛をわきまえる。（「繫辞」下伝）

『孫子』の兵法が「彼を知り己《おの》れを知れば、百戦して殆《あや》うからず」（謀攻篇）というのも、同じである。『老子』が「その雄（男性的立場）をわきまえながらその雌（女性的立場）を守る……その白《あかるさ》をわきまえながらその黒《くらさ》（闇）を守る……栄光をわきまえながら屈辱に甘んじる……」（第二十八章）、というのも同じである。対待の認識が普遍的なのに応じ、その処世態度もそれにともなっている。ただ、老子の場合は剛柔の対待をよくわきまえていて、わざと柔の立場に立って剛を包み込もうとするのだが、易の総合は両者をふまえた中の立場に立とうとするものであった。易の場合にも、充満を恐れ過剛を戒める考えはある。なかでも老子の柔弱謙下の立場と似ているのは、謙卦の「彖伝」である。

天道では盈《み》(満)ちたものを減らして謙《かけ》(欠)たものを増し、……人道では盈《たかぶ》(亢)ったものを憎んで謙《へりくだ》るものを好む。謙は尊くて輝き、低いところにいるが乗り越えられない。これこそ君子の有終の美である。

乾の卦の上九で「亢《たかぶ》りたる竜、悔《くい》あり」というのも、それであった。ただ、それらも、易では要するに中を尊ぶからのことであった。「彖伝」や「象伝」が中正を重んじていることは前にも述べた。「彖伝」で中をいうもの三十五卦、「象伝」では三十八卦にも及んでいる。そして、先の乾の上九を解説した「文言伝」は次のようにいっている。

「亢《たかぶ》りたる竜」というその「亢」の意味は、進むことを知って退くことを知らず、存することを知って亡ぶことを知らず、得ることを知って失うことを知らないということだ。そもそもただ聖人だけであろう、進退存亡の対をわきまえてその正しい対応を誤らないのは、ただ聖人だけであろう。

それは一方に偏《かたよ》ることを戒めることばである。

「中庸の徳たるや、それ至れるかな」と中庸を讃歎するのは『論語』（雍也篇）のことばである。「柔ならず、剛ならず、政をおこないよく和《やわ》らぐ」というのは、『詩経』（商頌・長発）の句である。四書のなかに『中庸』が含まれていることはいまさらいうまでもない。

中庸思想もまた中国人の考え方として重要であるが、それも対待観と深い関係にあるのは、見やすいことであろう。中という観念は、そもそも対立した両端を意識するところにこそ生まれたものであった。

対待観の限界とその利点

対待観とか中庸思想は、平和的ではあっても、あいまいで不徹底だという感じをまぬがれない。それは、現実の存在をあるがままにあるものとして認め、相互の対立の調和をはかっていくだけのようにも思える。西洋的な二元論がはげしい闘争性を持って、その闘争のなかから新しい進展を生み出していくのとは、違っている。それは、論理的に抽象された形で思考することをしないで、現実存在と密着した形で、しかも実践的な立場から思考する態度と関係しているであろう。せっかく対立を考えながら、それをつきつめて考えようとしないこと、それは対待思想の持つ限界だといってよい。しかし、それはまたそれなりの長所を持っていることも、注意する必要がある。

対待観の利点、それはやはり現実問題を現実的に処理する場合に、最もよくその有効性を発揮するであろう。どのような事態にも対立する両面があるとわきまえ、しかもその対立はいかにきびしく見えても必ず総合されると考える時、問題解決の立場はきわめて強固なものになるであろう。それは、もちろん現実的楽天的な心情に支えられてもいるのである。対待観はまた、基本的には、対者の平等性と相対主義とに連なるであろう。中国思想の伝統は、必ずしもそれをそのように純粋な形では展開させなかった。陽が尊くて陰が賤しいという考えや、絶対主義への足がかりとなる「太極」——陰陽の根源としての一元に近い観念——は、すでに「繫辞伝」にみえている。対待そのものにも、総合を含むものとして、一元への指向性はある。しかし、陰と陽との対立は本質的に平等で、またその対立はどこまでも消えることはない。対待観が普遍的だということは、それだけ相対主義的な考え方が強かったということでもある。[*2] 中国の絶対主義が、政治的にも哲学的にも、西洋のそれと違ってみえるのは、このあたりにも理由があるであろう。

毛沢東思想への投影

最後に、対待観の投影と見られるものは、現代の毛沢東（一八九三—一九七六）

の思想にもある。毛沢東の思想はもちろんマルクス・レーニンに学んだものであろうが、現実的な思想家であるだけに、そこに伝統思想が影を落としていると見て、少しも不思議はない。彼の『矛盾論』では、教条主義者が往々ものごとの一面的な観察におちいることを注意して、「プロレタリア階級の側だけがわかって、ブルジョア階級の側がわからない。農民の側だけがわかって、地主の側がわからない」というあり方を非難する。それでは、矛盾解決の方法も探し出せないし、革命の任務も達成できないという。彼自身、その後に『孫子』の「彼を知り己《おの》れを知れば」の句を引き、唐の宰相魏徴《ぎちょう》の「兼《ひろ》く聴《き》けば明るく、偏《かたよ》り信ずれば暗し」ということばを引くように、そこには伝統的な立場が生きているといってよい。

また彼は特殊矛盾のあり方として、主要な矛盾とそうでない副次的従属的な矛盾とがともにまじり合って複雑な様相をとることを説いている。そこに「陽中に陰あり、陰中に陽あり」という陰陽の複雑なあり方からの影響が見られはしないか。

また、彼は矛盾の両側面の同一性と闘争性ということを説くが、その同一性というのは、対立間の相互依存性と相互転化の関係を意味している。そして、その関係を「相反相成」ということばであらわす。

われわれ中国人は、いつも「相反相成」という。これは相反するものには同一性があるという意味だ。この言葉は、形而上学とは反対の弁証法的なものである。「相反」とは矛盾の二つの側面の相互排斥、あるいは相互闘争のことであり、「相成」とは、一定の条件のもとで、矛盾の二つの側面が相互に連結して、同一性を獲得することである。しかも闘争性は同一性のうちにやどっており、闘争性がなければ同一性もないのである。

『漢書』に出典をもつ「相反相成」の意味は、原典と比べて微妙な変化を見せている。しかし、その対立間の相互依存性という点を、上に見てきた対待観と比べる時、私たちはその類似性を指摘せずにはおれない。対待観は、その有効性をなお今日にも示していると見られるであろう。[*3]

注

＊1 「応」と「比」については、I——易の構成、三節「経」と「伝」（六一、六二ページ）参照。

＊2 易によって相対主義的な世界観を説いた思想家としては、北宋の張載《ちょうさい》（一〇二〇—一〇七七）や清初の王夫之《ふうし》（一六一九—一六九二）などがいる。

＊3 対待の思想について参考になるのは、大浜皓『中国的思惟の伝統——対立と統一の論理——』である。この節の全体についても、それを参考するところが多かった。

二——変易と循環

万物の生成と易の変化

易という名称の意味として、変易《へんえき》・不易《ふえき》・簡易《かんい》の三義があることは、前に述べた。なかでもその変易と不易の意味が重要である。そして、上に見た対待観は、そこに変易という時間観念が入ることによって、一層特色のあるものとなる。易の対待は、静止的なものではなくて、たえず変わり動くものであった。

易の道はしばしば移り変わる。変動してとまらず、六爻の位をかけめぐり、上り下りも一定せず、剛と柔とがいれかわる。とても標準とすることはできず、ただ変化のままに従うばかりだ。（「繫辞」下伝）

天について象《しょう》ができ、地について形ができて、そこで変化があらわれる。（「繫辞」上伝）

剛と柔とがたがいに推移して変化が生まれる。（「繫辞」上伝）

爻は変をあらわしたものである。（「繫辞」上伝）

変化・変動をいうことばは、「繫辞伝」のなかで特に多いが、もちろんそれは易の「経」文にも関係している。「爻が変をあらわしたものだ」ということは、「経」文で六爻の順序が下から上へという動きのかたちで考えられていることと相応じている。たとえば、乾の卦の初九で「潜《ひそ》みたる竜」といい、上九で「亢《たかぶ》りたる竜」というのなどは、その関係をはっきり示すものであろう。また六十四卦のそれぞれについても、王弼や程伊川がはっきり説いたように、それらを「時」とみる考えはすでに「卦辞」のなかにあらわれている。六十四卦についても、時に応じて変動するという考えがあったと見ることも可能であろう。ところで、この変化は自然界の生成変化から考えられたものであった。易が天地自然を模範としていることは後に詳しく述べるが、易の変化が万物の生成に連なるものだと説くのは、そのためであった。

天地の大徳を生という。(「繫辞」下伝)

豊かに備わることを大きな事業といい、日々に新たなることを盛んな徳といい、生成することを易という。(「繫辞」上伝)

そもそも乾(陽)は、静かなときは専《あつ》まり、動くときは直《の》びる。だから大いに

万物を生み出す。そもそも坤（陰）は、静かなときは翕《と》じて、動くときは闢《ひら》く。だから広く万物を生み出す。（「繫辞」上伝）

万物の生成がとまることは世界の破滅である。そういう事態は決して起こることがない。だから、易の変化もまたとまることがなくいつまでも続く。易の作者はそのように考えている。

変革の思想

もちろん、易の働きも難行する時がある。屯卦の「卦辞」では「剛と柔とが初めて交わって難が生じた」とある。しかし、対立がきびしくなっていきづまっても、それは必ずひらけるものである。対待の楽天主義はここにも働いている。

易は窮《ゆきづ》まれば変化し、変化すれば通じ、通じたなら久しい。（「繫辞」下伝）

ものごとはすべて、極点までいけば必ず新しい変化が起こる。そして道がひらけて通じる。通じるとは往来すなわち運動がとまらないことだと説明されている。運動がとまらなければ、易はどこまでも永久に続いていくことになるだろう。

ここで、変革の思想もみておかなければならない。変易は革命の意味をも含んでいる。六十四卦のなかには革の卦があるが、その「彖伝」では、

大地が革《あらた》まって四季ができあがる。殷の湯王と周の武王の革命は、天に従って人に応じたものだ。革の時は偉大なことよ。

と、革命を讃美している。「繋辞伝」ではそれに答えるように、「易を作った者は心配ごとがあった」とか、それは殷末・周初のことで周の文王と殷の紂王のことに関係するなどと述べて、『易』を革命の書であるかのようにも説いている。それはもちろんオーバーないい方であるが、易の全体にはそうした空気がないではない。

六爻の順序が下から上へと上ることが、まず第一である。乾の卦では「潜《ひそ》みたる

竜」から「見《あらわ》れたる竜」へと進み、やがて「飛びたる竜」から「亢《たかぶ》りたる竜」に終わる。また漸《ぜん》の卦では、鴻《おおとり》が「干《みぎわ》に漸《すす》む」ことから「磐《いわ》に漸む」「陸に漸む」「木に漸む」「陵《おか》に漸む」と上っていく。そして「亢りたる竜、悔《くい》あり」の例でもわかるように、上りつめたものはよくないという考えもある。上位と下位との交替がそこに暗示されているといってよかろう。

また泰《たい》の卦䷊と否《ひ》の卦䷋との対照も興味深い。それらは乾と坤との組み合わせでできているが、常識からすれば乾の天が上で坤の地が下にあるのが安泰なはずである。ところが、易の作者はそれを反対にしている。天地のひっくりかえった形が安泰で、常態にあるのがよくないという。これは皮肉なことである。「彖伝」や「大象」では、泰の場合は天と地が交流するからよいが、否の場合は交流しないからよくないのだと説明する。地は下りようとし、天は上ろうとするものだからである。その説明はともかくとして、天地のひっくりかえった形を安泰だとするところには、少なくとも変革をよしとする空気のあることが感じとれるであろう。

循環としての変化

さて、易の思想はこのように変化生成を尊ぶ。いいかえれば、この世界を変化してやまない日新生々の世界とみるのである。『易』はまことに「変易の書」であった。ただ、その変化は、まっすぐに無限に進展していく変化ではない。それは循環であった。天地の恒久を説いた恒の卦の「彖伝」は、「終わればまた始まる」からだとそれを説明しているが、そのように自然界のあり方にことよせて循環を強調することばは多い。

終わってまた始まるのが、天の運行である。（蠱・「彖伝」）

その道を反復して七日経って帰ってくるのが、天の運行である。（復・「彖伝」）

日が往くと月が来、月が往くと日が来る。日と月とがたがいに推移して明るさが生まれる。寒さが往くと暑さが来、暑さが往くと寒さが来る。寒さと暑さとが

たがいに推移して歳ができる。（「繫辞」下伝）

もちろん、陰陽もまたこの天の運行に従って循環するのである。復の卦䷗で「七日来復」といわれるのは、純陰の坤の卦䷁から、再び一陽が下に兆したそのくりかえしをさしている。漢代の十二消息卦はその関係を最もはっきり示すものであった。[*1] 復を十一月に当てると、それから月ごとに臨䷒・泰䷊と下から陽がのびていき、四月の乾の卦になると、次はまた下から陰があがってくるというくりかえしである。

変化とは進退のありさまである。

と「繫辞伝」ははっきりいう。また、

闔《と》じたり闢《ひら》いたり、それを変という。

ともいう。「進退」とか「一闔《ごう》一闢《ぺき》」というのは、もちろんくりかえしである。

易の変化が循環としての変化であることは、先の対待の思想と考え合わせると、うなずけるはずである。対待は対立しながら相互に引き合い助け合うという関係であったから、そこに時間観念が加わると、AからBへ、BからAへという、相互のくりかえしが当然成立するであろう。この場合、「陽中に陰あり、陰中に陽あり」という観点が、それを一層助長するものとなる。つまり、陽が陰に、陰が陽にと相互転化するのは、純粋な陽のなかにも陰性が含まれ、純粋な陰のなかにも陽性が含まれているからだと見るのである。現実の存在として見れば、確かに陽だけの存在もなければ、陰だけの存在もないであろう。その実在観がここで浸透しているのである。坤の上六で陰陽が戦うとされていたのは、陰の極点になって、その内部ですでに陽が兆しているからである。「一陽来復」の復の卦䷗が坤の卦䷁の進展としてとらえられるのは、坤のなかに兆した陽性が発達したと見ているからである。

日は中天にのぼると次には傾く、月は満月になると次には欠ける。天地のすべての盈虚《みちかけ》は、時とともに消長変化する。（豊・「彖伝」）

対待の世界は、たえず変動し、時とともにいつまでもつづく循環運動をくりかえすことによって、それ自体を完全なものにしているのである。

人間万事塞翁が馬

人はこの変動と循環の世界にいかに身を処していけばよいか。「繫辞伝」はいう、

君子は器《き》を身に蔵し、時を待って動く。

わが身の器量をりっぱにみがきながら、しかし時節の到来を待って行動せよというう。「彖伝」が「時」の重要さを強調していたことの意味が、よくわかるであろう。もちろん、この「時」は単なる時間ではない。具体的な場をともなった時間的局面である。中国人が「時」という場合は、いつでも具体的な存在の場と結びついてい

る。だからこそ、「時」は実践的に大きな意味を持つのである。

『老子』のことばとして「禍は福の倚《よ》るところ、福は禍の伏《かく》るるところ」というのがあった。それをもっと具体的な話にしたのが「人間《じんかん》万事塞翁《さいおう》が馬」である。話は『淮南子《えなんじ》』にみえる。塞翁すなわち辺境に住む翁《おきな》の人生の知恵である。翁の家で一頭の馬が塞外に逃げた時、翁はこの禍がかえって福のもとになるかも知れないといった。しばらく後、そのことばどおり、馬は数頭の野生の馬をつれて帰ってきた。人びとがそれを祝うと、翁はこれが禍のもとになるかも知れませんと答える。果たしてそのとおり、馬好きになった息子が落馬して足を折った。人びとが悔みをいうと、翁はまたこれが福のもとになるかも知れませんと答える。しばらくして戦争が起こった。辺境の若者はみなかり出されて戦死したが、足の悪い息子だけは助かった。「禍福は転々として糾《あざな》える縄のごとし――二本をより合わせた縄のようだ――」ともいう。それは、中国人のあいだでひろく認められる人生の英知である。笑い話で済ませたり、無気力だといってあざ笑ってはいけない。変転のはげしい人生に対する強靭な生活力が、そこにはある。そして、それが変動と循環という易の思想とも関係していることは、いうまでもない。

五行の循環

まことに、中国人の世界観は、先の対待観とも結びついて、変動と循環の見方を主流としている。孔子は川のほとりにたたずんで、

逝《ゆ》くものは斯《か》くの如《ごと》きか、昼夜をおかず。（『論語』子罕篇）

といった。それを、時間の推移につれて変化流転する現実を象徴的に述べたものと見るのは、一般的な解釈である。孟子の歴史観は、また一層適切である。孟子にとって、世界の歴史は「一治一乱」の歴史であった。治と乱とがくりかえして入れかわるのである。「五百年ごとに王者が起こる、そしてその中間にすぐれた賢人が出る」。世界はそのように周期的な変化をくりかえすものであった。陰陽家という学派で考えられた五徳終始説というのも、そうである。土・木・金・火・水という

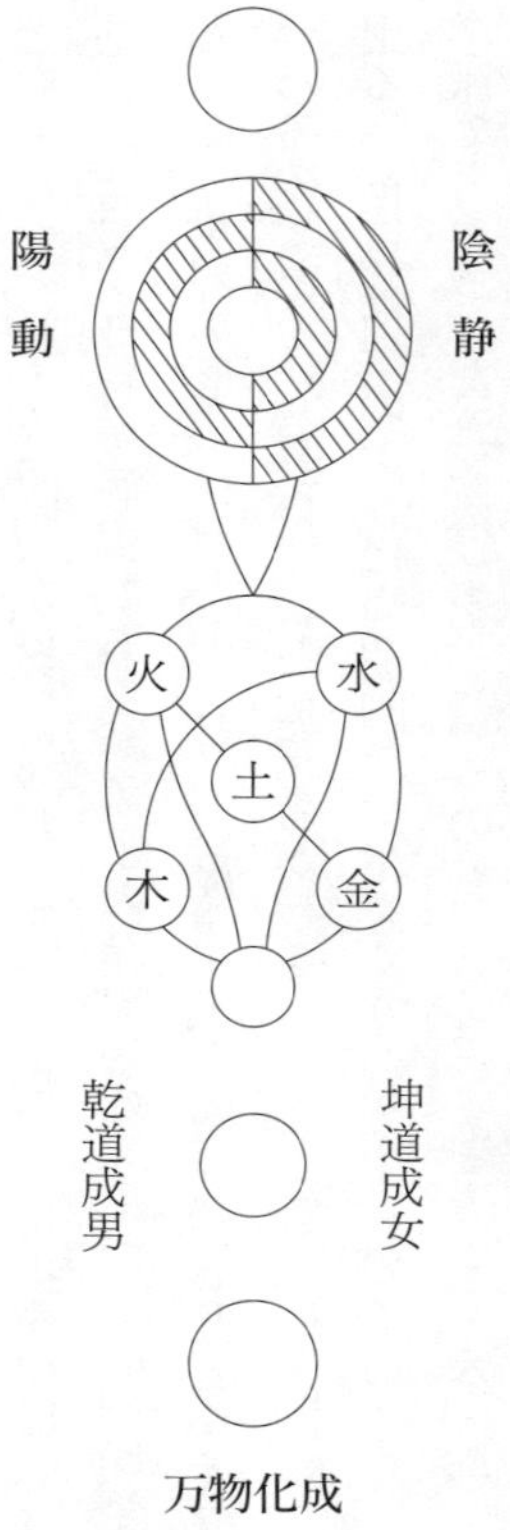

五行の徳が、次つぎと起こる王朝の性格をきめていくというのだが、ここには、王朝の変革という革命の考えがあると共に、また五行の循環が考えられている。

もう少し新しい例をあげて見よう。宋の朱子学で重んじられた宇宙論は、「太極図」というものにもとづいている。一番上の○は「無極にして太極」といわれて宇宙の本体である。しかしそれはあくまで陰陽についてあるもので、それを離れた超越でないことが力説される。その活動が陽であり、動が極《きわ》まって静になるとそれが陰である。この動と静は無限にくりかえされる。そして、その陰陽の交流から五行が生まれ、万物が生成されることになる。陰陽動静の対待循環が永久にくりかえされるのでなければ、万物の生成はとまってしまう。

王夫之の説

変易の思想を最も強調した思想家は、清初十七世紀の王夫之《おうふうし》である。彼は「天地の徳は不易であるが、天地の変化は日々に新たである」といい、「今日の日月は昨日の日月ではない」とさえいう（思問録外篇）。変動してやまないのが世界の本質だとして、静的な世界観に反対したことばは鋭い。そして、彼もまた、やはり循環思想のうちにある。彼の新しさは、朱子学にもみられた「窮《きわ》まれば変ず」の考えに反対して、対待の両者の相互内在性を強調した点であろう。

動いている時に静かであり、静かな時に動いている。静は動を含み、動は静をすてない。動が窮まってからはじめて静になり、静が窮まってからはじめて動になるというのは……浅はかな考えだ。（「思問録」外篇）

対立する両面の相互転換は、ここで一層たやすいものになるだろう。そして対待の運動は永久にくりかえされるのである。

道・太極――変化のなかの変わらざるもの

さて、変化が循環であるとすることは、変化する現象をとおして、変化しない一定の法則をみつめていることである。自然界の四季のめぐりは、易の好んで強調するところであったが、春の次に夏が来て夏の次に秋が来る、そしてくりかえされるという変化の法則は、少しも変わらないものである。易が変易であるとともに不易だというのは、そこをみつめているからであった。それは、対待での両者の総合と相応じている。

『易』の「繋辞伝」は、この不易なもの、対待の総合を、道とか太極ということばであらわした。

一陰一陽――陰になったり陽になったり――、それを道と謂《い》う。(「繋辞」上伝)

> 易には太極がある。そこから両儀（陰陽）が生まれ、両儀から四象（少陰・少陽・老陰・老陽）ができ、四象から八卦ができる。（「繋辞」上伝）

「形而上のものが道であり、形而下のものが器である」という有名なことばもある。道と器との対は、宋代の思弁的な宇宙論で深い考察を加えられた。また太極の観念が宇宙の本体として利用されたことも、前にみたとおりである。ここで「形而上」というのは、具体的な形をとらないこと、形以前という意味である。しかし仏教の影響をうけた宋代の哲学は、形而上学を打ち立てる方向で思索をつづけた。そして、一陰一陽が道なのではなくて、陰陽する所以《ゆえん》——すなわち陰陽の根底にあってそれを支えるもの——が道だといい、器としての陰陽と区別して、太極と結びついた道を「理」として立てた。[*2] ただ、この一元を指向する形而上学は結局不徹底に終わった。現実存在に密着した思考が純粋な形而上学の成立をはばんだことと、対待の現実認識がどこまでもつきまとったからである。

キリスト教的一元論とは違う

道が万物を生み出すと説き、それを「一」ともいったのは老子である。そこには一元論的な宇宙生成論がみられる。一元論的な立場をとる思想家たちは、この老子的な道と易の道、そして太極の考えを学ぶのがふつうであった。ただ、老子の場合にも、先にみたように対待の考え方は強い。易の場合は、なおさらいうまでもない。太極は確かに易の二元論を統一したものであるし、またそのあとに、天を中心とすることによって聖人の地位を高めることばがつづくのをみると、統一的な気分は強い。しかし、それがあらわれるのは、「繋辞伝」のこの一ヵ所だけである。易の全体をつらぬくものは、やはり対待観である。易の統一は、だから対待をこわすものであるよりは、むしろ対待をふまえて対待の関係から生み出されたものであった。

現実の存在を確かなものとしてそこから離れない中国的思考では、やはり対待観から離れることがない。だから純粋な一元論は生まれにくい。キリスト教的な一神、この世界を創造した唯一の神といった存在は、中国にはない。それと関係して、純粋な形而上学的一元といったものは、考えられたことがない。ただ、対待観もまた、すでに述べたように、西洋的な二元論的対立ではなかった。それは二元的でありながら、実は一つのものの両面としての意味をも持っていた。二にして一、一にして二である。対待は対立しながら総合され、変易は動きながら不易であった。

この複雑な現実対応の中国的姿勢は、そのたくましい楽天的人生観とともに、今後の中国のあり方にも生きていくであろうと思う。

注

＊1　十二消息卦については、Ⅳ――思想としての易、一節（一六一ページ）参照。

＊2　朱子学の「理」に反対した伊藤仁斎や荻生徂徠は、いずれもこの「所以」の二字を加えた解釈を非難攻撃した。

三――天人合一の思想

自然と人間

人間をとりまく外界の自然をどのように見るか、また人間と自然との関係をどのように考えるかという問題は、その人間の思考の型を考える上で重要な視点となる。

和辻哲郎の『風土』が語るように、それは自然環境のあり方によって規定される面も大きいであろう。たとえば、黄河のどろと洪水によって象徴的に説かれるように、中国の風土はあまりにも荒あらしくまた茫漠とした広大さで、そうした自然のなかでは人はただ自然の力を恐れてそれに従っていくだけになる。そこから、受容的忍従的なななかに意思的戦闘的なものをひそめた民族的な性格が形成された、といわれるようにである。それは、人の意のままになるナイーブな自然のなかにあって、合理的な精神を伸ばしてきたヨーロッパの場合とは、たいへん違っているといわれる。そうした風土的な説明だけで十分だとは思わないが、そのためでもあろうか、中国の場合、人と自然との関係を合一的にみる立場が主流であった。

中国哲学の術語では、この人と自然との合一を天人合一という。すでに、これまでもたびたびこのことばを使ってきたように、『易』はもちろんそれを強調する書物であった。それはどのように合一を果たすか。また人間の合一すべき自然をどのようなものとして考えているか。

まず、易は、天地の自然を模範としてできたものだといわれている。それが発生の事実にかなっているかどうかは別にして、『易』の「十翼」ではそのことをくりかえし強調する。それは、易を聖人の制作だとしてそこに重みをつけていたのと、相応じている。聖人を持ち出すところに中国的な特色があるように、また天地自然を模範としたと説くところに、興味深い特色があった。

天地をモデルとして

「繫辞伝」は、まず次のようなことばで始まる。

天は尊《たか》く地は卑《ひく》くして、乾と坤と定まる。

乾と坤、それは陽と陰との代表としていわれていると見てよいが、それが天と地との対照から考えられたというのである。「剛（陽）と柔（陰）とは昼と夜との象《かたち》である」ともいわれている。

法象《モデル》の最も偉大なものは天地であり、変通の最も偉大なものは四季であり、象を最も明確にかかげているのは日月が第一である。（「繫辞」上伝）

天が神秘的なものをあらわして聖人がそれに法《のっと》り、天地自然が変化して聖人がそれにならい、天が象《モデル》をたれ吉凶をあらわして聖人がそれをまねた。（「繫辞」上伝）

むかし包犧《ふっき》氏が天下の王者であったとき、上は象を天にとり下は法を地にとり、鳥獣の織りなすもようと土地の産物とを観察し、近くは身に考え、遠くは物に考えて、そこで初めて八卦を作った。（「繫辞」下伝）

易は、このように天地にならって、しかも聖人によって作られたものであるから、当然にも天地とひとしい働きを遂げるのだともいわれる。

易は天地を法則として作られたから、天地の道をひろく包括できている。上は天の文《もよう》を観察し、下は地の理《すじめ》を観察して作られたから、微妙なことがらも明白なことがらもすべてがわかる。自然の反復終始を尽くしているから、人の生死の問題も知れる。（「繫辞」上伝）

天地にならうことが、はたしてそれほどの効果を持つのか。それはしばらくおいて、ともかく、天地自然を模範とすることで易がすぐれたものとなっているということを誇示しようとしていることは明らかである。乾・坤の「彖伝」こそは、易のそうした優秀性を、誇りに満ちた高い調子でうたいあげたものであろう。

大なるかな乾元《けんげん》、万物はそれに資《もと》づいて始まる。そして、それは天をも統《す》べる……。

至れるかな坤元《こんげん》、万物はそれに資いて生まれる。そして、それは天を順《したが》い承《う》ける……。

天地を模範として作られた乾・坤が、いまや天地に代わって万物を生成し、「天をも統べる」とさえいわれている。もちろん、それはすでに八卦として並ぶ乾・坤のレベルを超えてはいる。しかし、その優秀性が八卦にも投影されることはいうまでもない。

易と自然との関係

陰陽が天地の対にならったものだということは「説卦伝」にもみえる。そして、そこで八卦の象を自然現象で説明していることも、これと関係するであろう。乾・坤・震《しん》・巽《そん》・坎《かん》・離《り》・艮《ごん》・兌《だ》の八卦を天・地・雷・風・水・火・山・沢以下に当てる説き方である。学者によっては、それを最も古い原初的なものとみるが、もしそうだとすれば、易と自然との関係は発生的にも正しいことになるだろう。私の考えでは、必ずしもそれに賛成しないが、ただ、易と自然との関係を、「十翼」の段階になってはじめて起こったと考える必要もない。易はうらないの術として本来人間を超えた神秘性にかかわるものであるから、そういう神秘性の根拠を自然界に求めることは、もともと大いにあり得ることである。八卦を天・地・雷・風などに当てることとは別に、易のうらないの神秘性を自然と関係づけて考えることは、おそらく当初からあったとしてよい。「十翼」での強調はそれを受けたものであろう。

易のうらない方もまた、自然界の数を模範としたものだとされていた。蓍《めどぎ》を両手に二分するのは天と地にかたどったもの、一本を小指にはさむのは人にかたどったもの、四本ずつきっていくのは四季にかたどったもの、余りを分けるのは閏《うるう》にかたどったものであった。そして、「乾の策は二百十六」、つまり蓍を四本ずつきって陽爻一本を画き出すための本数は、それを九の老陽として数えると四本ずつであるから三十六本となり、それが六爻で二百十六本となる。次には「坤の策は百四十四」、同じように陰爻一本のためには六の老陰の数に従って四六の二十四、その六爻で百四十四である。これを合わせると、「凡《およ》そ三百六十、一年の日数に当たる」といわれる。三百六十五日の概数だというわけである。「繫辞伝」にみえるような筮法が、必ずしも原初の筮法とはいえないばかりでなく、こういう説明づけはさらに後からの解釈であろう。しかし、易が天地自然に従って作られたという、全体の空気のなかで考えられたものには相違ない。

「自然に従う」という倫理観

さて、易が自然に従って作られ、それゆえにすばらしいと説くことは、もちろん人間を自然に従わせようとすることである。聖人でさえ従っているものを、どうして凡人が従わないでおれよう。『易』の「十翼」のなかにみられる道義性は、その根拠を自然においていた。それがはっきり具体的に示されるのは、「大象」のことばであった。[*1] そこでは、卦の象を天・地・山・沢などの自然の象に見立てた上で、その天地や山沢のあり方によって君子の行動を規制していた。自然に従ってこそ誤りのない行動ができるという倫理観が、そこに働いていることはいうまでもない。

自然に従うとか自然を模範とするとかいうのは、いったいどういうことであろう。それは、人間と自然とをまったく違った異質の対立とはみないで、むしろひとつづきの重なったもの、とみるところに生まれる考え方である。原始的な古代人は、周囲の自然に対する自覚を持たず、それを絶対的なものとして動物的な反応を示すだけであったが、人間の自覚が目ざめてくると、主体的な対応が生まれることになる。古代ギリシャでは、大宇宙《マクロコスモス》と小宇宙《ミクロコスモス》という関係で自然と人間とがやはりひとつづきのものとして考えられた。自然の像はその場合、人間のすがたからの類推によって描かれ、心霊を持ち働きを持つ存在であった。中国の場合も、このギリシャの場合とあまり違いはない。違っているのは、ギリシャではそうしたなかでも自然科学的な客観的自然観が強く成長しつつあったことで、それがやがて近世の自然観に連なることになるのだが、中国では、それはあったとしてもはなはだ微弱であった。その理由は、中国ではこの人間世界に対する注視があまりに強くて、それが自然界への注目をはばんだからであった。その代表は儒家の思想である。[*2] 儒家の合理主義は、未知の自然界に思考を走らせることによって、神秘の世界に落ち込む危険を警戒したのであった。

父としての自然・母としての自然

まことに、自然の世界は神秘的であり不可知な大世界であった。そこに一つの力があり、働きがあり、また一つの条理のあることは認められたが、それがどういうものであるかは、ただ現象について人間との類比で比喩的にとらえるよりほかはなかった。中国において、自然はまず二つの面でみられる。「天地の大徳を生という」とあったように、一つは万物を生み出す母としてであり、いま一つは万物を育て支配する父としてである。前者に重きをおくのが道家思想であり、後者を重視するのが儒家思想であった。そして、この万物を生み育てる働きは、たとえば四季のめぐりや天体の運行ではっきりするように、一定の条理に従って、しかも瞬時の休止もなく永続するものである。人間の問題を第一にすえる思考では、自然の力と働きとその条理性とについて、これだけのことがわかれば、すでに自然は人間の模範として十分なものであった。それ以上のことを穿鑿《せんさく》するのは、不可知の世界にいどみかかる愚かなしわざだと考えられた。

不可知の自然世界は、もちろん神秘のベールにおおわれている。儒家の思想はそこに落ち込むことを警戒する合理性を持ったが、また神秘の世界をそのままそっとして温存するという不徹底さをも持っていた。「鬼神を敬してそれを遠ざける、それが知ということだ」（『論語』雍也篇）といった孔子のことばは、そうした儒家の基本的な態度を最も明白に物語っている。それは、「まだ生の問題がよくわからないのに、どうして死のことがわかろうか」（『論語』先進篇）、といったことなどと同様に、現実の人生の問題に思考を集中した合理主義的なことばだとみられるが、その反面、それが、神霊の問題に消極的な態度をとったというまでで、神霊の存在そのものを否定するほどのものでなかったことは、いうまでもない。孔子の思想の基底には、不可知な至高の存在としての天があった。

道家と儒家をつなぐもの

易はうらないの術として、もちろん神秘にかかわるものである。その易が儒家に採用されたのは、当然にも儒家の本来の思想にもそれを容認するものがあったからであろう。ただ、『易』の神秘色は特に強い。易は「死生の説を知り」、「鬼神の情状を知る」ものだというようなあからさまな説明は、もちろん孔子や孟子のものではない。

はかり知れない陰陽の働き、それを神《しん》（霊妙な働き）という。（「繫辞」上伝）

神には方《きまり》がなく、易には体《かたち》がない。（「繫辞」上伝）

そもそも易は、聖人が深奥を極め、幾微《きび》を明らかにするためのものだ。（「繫辞」上伝）

神秘を窮《きわ》めつくし、変化をわきまえてこそ、盛大な徳だといえる。(「繋辞」下伝)

未来を予知して、ふつうではわからないことをさぐり当てるという占筮の不思議は、ここでは神秘的な自然界の陰陽の働きにかかわるものとして強調されている。人と自然との合一を説くことばが、それによって深遠に粉飾されていることはいうまでもない。*3

結局、『易』の神秘性の強調は、その天人合一の立場を深遠にするものとしてある。その神秘性の強調には道家思想の影響もあった。自然との神秘的な冥合によって人間の苦しみを逃れようとしたのが、道家の人びとであったからである。しかし、『易』の本領はやはり儒家的であった。それは自然に対してただ神秘的な冥合を説くだけの立場ではなかったのである。天地を父母と考えて、人間も万物のなかの一物だとみるのは、儒家も道家も同じであったが、儒家は万物のなかでも人間を最も高貴な存在だと考えて、その価値実現の努力を強調した。だから、自然のもとにありながら、その自然を学んで自然とならぶまでの向上を勝ちとろうとするのである。もちろん、彼らが自然の働きと考えているその目標に向かってであった。

中国人の運命観

「一陰一陽、それを道という」とあったことばを承けて、「繋辞伝」はその自然の働きを承け継ぐところに人間道徳が生まれるという。

陰になったり陽になったり、それを道という。それを承け継ぐのが善であり、それを成し遂げるのが性である。仁者はそれを見て仁だといい、知者はそれを見て知というが、民衆は毎日それに拠《よ》りながら、それがなんであるかを知らない。

（「繋辞」上伝）

人間道徳のもとづくところが、ここにはっきりと述べられている。そして、その道徳の完成を遂げるものとしての人間本性が明らかにされている。

むかし、聖人が易を作ったのは、それによって人びとが性命の理に従うようにと考えたためである。(「説卦伝」)

むかし、聖人が易を作ったのは、……道徳に和順して義に理《おさ》まり、理を窮《きわ》め性を尽くして、命《めい》に至るようにと考えたのである。(「説卦伝」)

理といい性といい命というのは、なんであろう。性は人間に内在する生まれつきの純粋な本性である。命は人間を超えた外から迫る大きな運命である。そして、理は内外をつらぬく客観的な法則である。ここでは、内なる本性と外なる運命との一致が目指されているのである。運命を主体的に受けとめること、外から迫るものを内に転ずること、それが性命の一致である。それは、人間が向上の極点で自然と合一することでもあった。

運命観は宿命観とは違う。ここに一つの意味深い話がある。明《みん》の道士として有名な袁了凡《えんりょうぼん》は、少年の時占い師に運命をうらなわれ、それが後に次つぎと当たったためにすっかり宿命観を抱くようになった。そして、人生のすべてはあらかじめ定まっていて自分は五十三歳で死ぬのだとあきらめ、世間との争いもやめて、すっかり悟りすましたありさまでいた。あるとき雲谷禅師からその修養法をたずねられたので、ありのままを答えると、雲谷禅師は大いに笑って、それでは凡夫にすぎないといい、種々の道理を説いて「命は我れより作《な》し、福は己れより求む――運命は自分から開き、幸福は自分で追求するものだ――」ということを教えた。袁了凡は、そこではじめて目がさめる思いにうたれたが、不思議にもそれからは占い師の予言は当たらなくなった。了凡――凡をおわる――という号はそれを記念して旧号を改めたものだという。[*4]

運命は自分で切り開くものである。それは確かに人間の能力をこえた強大な力としてあらわれる。「天命」ということばが示すように、それは支配の力としての自然でもあった。ある意味で、人間能力の限界の自覚のあらわれだといってもよいであろう。だから、もともと易のうらないが運命にかかわるのは本質的なことで、神秘的に予告された運命は、もちろん人の力を超えたものであった。それは神の意志として絶対的に受け取られたことでもあろう。しかし、『易』の「十翼」での思想は、それを性命の一致という高い境地でとらえなおしたのである。神秘の世界に落ち込んで運命に屈服するのでは、生命にあふれた活動的なこの人間性を喪失することになる。それでは運命も運命でなくなってしまう。人間的な努力を重ねて真剣勝負の人生を送るところに運命が生きる。運命の自覚、つまり運命をわが物にして主体のうちにとり込む時、人間はいよいよ強靭になるであろう。そして安心の境地が得られるのである。

易にいわく、天を楽しみ、命を知る、ゆえに憂えずと。(「繫辞」上伝)

それが性命一致の境涯であり、また自然と合一した境地でもあった。

天人合一の伝統

さて、人間世界の秩序と宇宙自然界の秩序との一致を考える天人合一思想は、

『易』の前にも後にも一貫して中国思想の歴史をつらぬいている。孔子の天の思想にもそれはうかがえるが、孟子もまた「その真心を尽くせば本性がわかり、本性がわかれば天がわかる」(尽心上篇)といった。人間の心と天とが通ずるとする立場である。道家の場合は、もっとはっきりしている。道家の説く道には、宇宙自然界の秩序原理としての意味があるから、それに人間が帰入することを説くのは、そのまま天人合一である。漢代の儒学はいうまでもない。宋の朱子学もまたその道義説の根本に思弁的な宇宙論をすえることによって明らかなように、もちろん典型的な天人合一思想である。その説き方はさまざまであっても、それは中国思想の基本的な立場として一貫しているといってよい。もちろん、天と人とを分離して考える思想家もあった。古くは荀子の「天人の分」の宣言が有名である。後漢の王充《おうじゅう》や唐の柳宗元《りゅうそうげん》・劉禹錫《りゅううしゃく》など、いずれも神秘的な合一思想に反対したラディカルな合理主義者として評価される。そうした思想的系譜を描くことは可能であるし、それとしての意義もある。しかし、中国思想の主流、正統的な思想とされてきたものは、一貫して天人合一思想であった。

人間中心の思想

天人合一の場合でも、人と自然との対立がないわけではない。天道・地道・人道という三才が易に備わっていると説くことや、天地と人とを対照して説く説き方の多いことは、それを物語るであろう。しかし、それはもちろん純粋な対立ではない。人は自然から生まれた一物だという基本的な考えがあるから、その関係は当然協調的であった。そこには、対待観とかかわる点も見出されるであろう。人間と自然とが闘争し、人間の力によって自然を征服するというような考えは、そこにはない。自然との合一、とりわけて自然に冥合するといった道家的な神秘主義は、神と自然と人とをはっきり分別する西洋近代の思想と比べて東洋思想の典型であるともされてきた。

ただ、ここで注意したいのは、中国で主流を占めた天人合一思想では、人間の主体的な立場がたいへんはっきりしていることである。自然が上にあることによって、人はあたかもそのなかに解消されてしまうかに見えながら、実はそうではない。自然界の秩序は自然科学的な法則であるよりは、むしろ人間理想の投影としての理念的な意味が強い。人間を中心にした思想だといわなければならない要素がある。この点は、ナイーブに自然そのものに没入する日本人の態度とも区別のあるところであろう。

天人合一の思想からは、もちろん自然科学は起こりにくい。そのあいまいさはまた神秘主義と結びつきやすく、近代的合理主義と比べて、もちろん非近代的非合理的である。しかし宇宙全体の調和を思う楽天的な心情がそこには働いていて、それは本来平和的であった。そして、そこにも人間の主体性はつらぬかれている。そのつらぬき方は、西洋のようにまっ直ぐ向こう見ずに進むのでなくて、全体世界の調和を考えながら進むということである。人間世界の穏かな平安が、そこにはあった。

注

＊1　「大象伝」とその文例については、I——易の構成、三節（六三ページ）で述べた。

＊2　この点は、拙著『論語の世界』（ＮＨＫブックス）のなかで儒家的合理主義のあり方として詳説した。

＊3　易の神秘性と関係して、その陰陽符号の持つ象徴性もたいせつである。「書は言を尽くさず、言は意を尽くさず――書かれたものはことばほど十分でなく、ことばは心ほど十分でない」（「繋辞伝」）という抽象的な論理的表現への不信は、すぐに禅宗の「以心伝心」「不立文字」を思い出すように、中国人の思考の重要な一面でもあった。

＊4　西沢嘉朗『陰隲録の研究』。

付録1

『易経』名言集

＊『易経』の順に従った。（ ）で意味を説明し、〔 〕で言葉を補って、読者の便宜をはかった。

○天行《てんのめぐり》は健《すこやか》。君子は以て（それを手本として）自ら勉《つと》めて息《や》まず。（乾・「大象」）

○「元《げん》」と〔いうことば〕は善の長なり。……君子、仁を体《みにつけて》して以て人に〔主〕長たるに足《ことがで》る《きる》。（乾・「文言」）

○庸言《ようげん》（平常の言）を信じ、庸行を謹しみ、邪を閑《ふさ》ぎ〔とめ〕てその誠を存す。世に善《よみ》せらるるも（誉められても）伐《ほこ》らず、徳博《ひろ》くして化す。（乾・「文言」）

○君子は徳〔行〕を進めて〔功〕業を脩《おさ》む。忠信は徳を進むる所以《ゆえん》（手だて）なり。辞《ことば》を脩めてその誠を立つるは業に居る所以（功業を立てる手だて）なり。（乾・「文言」）

○同声は相応《あいおう》じ、同気は相求む。水は湿《しめり》に流れ、火は燥《かわき》に就《つ》き、雲は竜に従い〔て起こり〕、風は虎に従う。（乾・「文言」）

○君子、学びて以てこれを聚《あつ》め、問いて以てこれを弁（別）じ、寛〔大〕にしてこれに居り、仁にしてこれを行なう。（乾・「文言」）

○夫《そ》れ大人《たいじん》は天地とその徳を合わせ、日月とその明《めい》〔輝き〕を合わせ、四時とその〔秩〕序《じょ》を合わせ、鬼神《きじん》とその吉凶を合わす。天に先んじて天も違《たが》わず、天に後《おく》れて天時を奉ず。天すら違わず、而《しか》るを況《いわ》んや人に於《おい》てをや、況んや鬼神に於てをや。（乾・「文言」）

○地勢は坤《こん》（従順）、君子は以《もっ》て（それを手本として）徳を厚くして物を載《の》す。（坤・「大象」）

○嚢《ふくろ》を括《くく》る（袋の口をとじて知を蔵す）、咎《とが》もなく誉《ほまれ》もなし。（坤・六四）

○積善《せきぜん》の家には必ず余慶《よけい》（利）あり。積不善《ふぜん》の家には必ず余殃《よおう》（害）あり。臣その君を弑《しい》し、子その父を弑するは、一朝一夕《せき》の故《こと》に非《あら》ず。その由来《ゆらい》する所のもの漸《ぜん》なり（次第次第にやってくる）。弁《あきら》かにすると早く弁かにせざるとに由《よ》〔って分かる〕るなり。（坤・「文言」）

○君子、敬《けいによりて》以て内を直《ただ》し、義《によりて》以て外を方《ただ》す。敬と義と立ちて、徳は孤《ひとり》ならず（人びとが集まってくる）。（坤・「文言」）

○初めて筮《ぜい》すれば〔吉か凶かを〕告《つ》ぐ。再三〔筮〕すれば瀆《みだ》れ（乱）る。瀆るれば告《つ》げず。（蒙・「卦辞」）

○天道は盈《み》（満）つるを虧《か》（欠）きて謙《けん》〔虚〕に益《ま》し、地道は盈つるを変じて謙に流れ、鬼神は盈つるを害して謙に福《さいわい》し、人道は盈つるを悪《にく》みて謙を好む。（謙・「彖伝」）

○王侯に事《つか》えず、その事を高尚《こうしょう》にす。（蠱・上九）

○聖人、神道《しんどう》を以《もっ》て（神秘的な説き方で）教えを設《もう》けて、天下は服〔従〕す。（観・「彖伝」）

○天文《てんもん》を観《み》て以《もっ》て時変を察《さっ》し、人文《じんもん》を観て以て天下を化成す。（賁《ひ》・「彖伝」）
○復《ふく》は（くりかえし循環するという意味で、そこで）其《そ》れ天地の心を見るか。（復・「彖伝」）
○天、山中にあるは、大畜《たいちく》（大きなたくわえ）。君子は以て（それを手本として）多く前言往行《ぜんげんおうこう》（過去のすぐれた言行）を識《し》りて、以てその徳を畜《たくわ》う。（大畜・「大象」）
○天地は万物を養い、聖人は賢を養いて、以て万民に及ぼす。頤《い》（養）の時は大なるかな。（頤・「彖伝」）
○山の下に雷ある（下が動く）は頤《い》（あご）なり。君子は以て言語を慎みて飲食を節す。（頤・「大象」）
○君子は以て独立して懼《おそ》れず、世《よ》（に容れられず世）を遯《のが》れて悶《もだ》うるなし。（大過・「大象」）
○天と地は感じ合いて万物化生し、聖人は人心に感じて天下和平なり。その感じ合う所を観《み》れば、天地万物の情《ありさま》は見《わか》るべし。（咸・「彖伝」）
○羝羊《ていよう》、藩《まがき》に触《ふ》る、退くこと能《あた》わず、遂《すす》むこと能わず。（大壮・上六）
○家人《かじん》、女は位を内に正し、男は位を外に正す。男女正しきは、天地の大義なり。（家人・「彖伝」）
○天地は睽《そむ》きてその事は同じく、男女は睽きてその志は通じ、万物は睽きてその事は類す。睽《けい》（背き合うこと）の時用は大なるかな。（睽・「彖伝」）

○損益盈虚《そんえきえいきょ》（減ったり増えたり、満ちたり欠けたり）、時と偕《とも》に行《うご》く。（損・「彖伝」）

○三人行けば一人を損し、一人行けばその友を得《う》（二人で一組）。（損・六三）

○天地は革《あらた》まりて四時成《な》り、湯《とう》・武《ぶ》の革命は、天に順《したが》いて人に応ず。革の時は大なるかな。（革・「彖伝」）

○君子は豹変《ひょうへん》し（豹の皮のように美しく立派に変わり）、小人《しょうじん》は面《かおつき》を革《あらた》む。（革・上六）

○日は中《ちゅう》すれば則《すなわ》ち昃《かたむ》き、月は盈《み》つれば則ち食《か》く。天地の盈虚《えいきょ》は時と与《とも》に消息《しょうそく》（長）す。而《しか》るを況《いわ》んや人に於《お》てをや、況んや鬼神に於てをや。（豊・「彖伝」）

○〔親〕鶴鳴《つるな》きて陰《かげ》にあり、その子これに和す。我れに好《よ》き爵《さけ》（酒杯）あり、〔仲むつまじく〕吾れ爾《なんじ》とこれを靡《わか》たん。（中孚・九二）

○天は尊く地は卑《ひく》くして、乾と坤と定まる。（以下「繫辞」上伝）

○乾の道は男を成し、坤の道は女を成す。乾は大いなる始まりを知《つかさど》り、坤は〔完〕成〔した〕物を作る。乾は〔容〕易《い》を以て（やすやすと）知り、坤は簡《かん》〔約〕を以て能《よ》くす。易ならば知り易《やす》く、簡ならば従い易し。……易簡《いかん》にして天下の理得《え》らる。

○剛と柔と相推《あいお》して、変化を生ず。

○君子、居《お》りて安んずる所のものは、易の序なり。楽しみて玩《がん》〔味〕する所のものは、爻《こう》の辞《ことば》なり。是《こ》の故《ゆえ》に君子は、居りては則《すなわ》ちその象《しょう》を観《み》てその辞を玩し、動きては則ちその変を観てその占《うらない》を玩す。是《ここ》を以《もっ》て天よりこれを祐《たす》け、吉にして利ならざるなし。
○易は天地と準《なら》ぶ。故に能《よ》く天地の道を弥綸《びりん》す（ひろく秩序だてる）。仰《あお》いでは以て天の文を観、俯《ふ》しては以て地の理を察す。
○精気《せいき》は物となり、遊魂《ゆうこん》は変をなす。
○楽天知命《らくてんちめい》、故に憂《うれ》えず。土《ど》（それぞれの地位・立場）に安んじて仁に敦《あつ》（厚）し、故に能《よ》く愛す。
○一陰一陽、それを道と謂《い》う。
○富有《ふゆう》を大業と謂い、日新を盛徳と謂い、生々を易《えき》と謂う。
○君子、その室に居りてその言を出《い》だして善なれば、則《すなわ》ち千里の外もこれに応ず。況《いわ》んやその邇《ちか》き者をや。……言は身より出でて民に加わり、行は邇きに発して遠きに見《あらわ》る。言行は君子の枢《すう》機《き》なり、枢機の発〔動〕は栄辱の主〔宰〕なり。言行は君子の天地を動かす所以《ゆえん》なり。慎《つつ》しまざるべけんや。
○君子の道、或《あ》るいは出で或いは処《お》り、或いは黙《もく》し或いは語る。二人同心なれば、その利《するどき》（鋭）は金《かね》をも断《だん》ず（たちきる）。同心の言は、その臭《におい》、蘭《らん》の如〔く香〕《かんば》し。
○君《きみ》〔慎〕密ならざれば臣を失う。臣〔慎〕密ならざれば身を失う。幾《き》〔微〕事《じ》〔慎〕密ならざれば害成《な》る。

○易は無思《むし》なり、無為《むい》なり。寂然不動《じゃくねんふどう》、感じて遂《つい》に天下の故《こと》に通ず。

○夫《そ》れ易は聖人の深きを極《きわ》めて幾《き》（微）を研《けん》する所以《ゆえん》なり。

○夫れ易は開物成務《かいぶつせいむ》（物《こと》を開《はじ》めて務《つと》めを成《な》しとげ）、天下の道を冒《おお》う（覆《つつむ》）、斯《か》くの如きのみ。

○聖人此《こ》れを以て心を洗い、密《みつ》（深微の処）に退蔵《たいぞう》す。吉凶〔について〕民と患《うれい》を同《とも》にし、神《しん》にして〔未〕来を知り、知にして往（過去）を蔵す。

○物を備《ととの》え〔利〕用を致《つく》し、立てて器〔材〕を成《つくりあげ》して、以《もっ》て（それによって）天下の利を為《おこ》すは、聖人より大なるはなし。賾《おくぶか》（幽深）きを探《さぐ》り隠れたるを索《もと》め、深きを鉤《うが》ち遠きを致《きわ》めて、以て天下の吉凶を定め、天下の亹亹《びび》（勤勉）を成しとぐるものは、蓍亀《しき》（卜筮）より大なるはなし。

○書は言を尽《つ》くさず（十分には表現できず）、言は意を尽くさず（十分には表現できない）。

○形而上《けいじじょう》のもの、これを道と謂《い》い、形而下のもの、これを器と謂う。

○黙してこれを成し、言わずして信なるは、徳行に存す。

○天地の大いなる徳を生と曰《い》う。（以下「繋辞」下伝）

○何を以《により》て位を守るや、曰《い》わく仁。何を以《により》て人を聚《あつ》むるや、曰わく財。財を理《おさ》めて辞《ことば》を正し、民の非《ひ》（悪）をなすことを禁ずるを、義と曰う。

○易は窮すれば則《すなわ》ち変じ、変ずれば則ち通じ、通ずれば則ち久し。

○黄帝《こうてい》・尭《ぎょう》・舜《しゅん》は、衣裳《いしょう》を垂《た》れて（何もしないでいて）天下治まれり。

○天下は何をか思い何をか慮《はか》らん（何の心配もない）。天下は同帰《どうき》にして殊塗《しゅと》（目的は同じで道が違うだけ）、一致にして百慮（主旨は一つで考え方が百）、天下は何をか思い何をか慮らん。

○尺蠖《せきかく》（しゃくとり虫）の屈《まが》るは信《の》びんことを求むるなり。竜蛇《りゅうだ》の蟄《ちつ》（穴ごもり）は身を存するなり。

○君子は器〔量〕を身に蔵《たくわ》えして、時を待ちて動く。何の不利かこれ有らん（不利益がどうしてあろう）。

○小さく懲《こ》りて大きく誡《いま》しむ、此れ小人《しょうじん》の福《さいわい》なり。

○善も積まざれば名を成《な》すに足《た》らず。悪も積まざれば身を滅《ほろぼ》すに足らず。小人《しょうじん》は小善を無益と為《おも》いて為《な》さず、小悪を傷《いた》むなしと為《おも》いて去らず。故《ゆえ》に悪積みて揜《おおいつく》すべからず、罪大にして解《と》くべからず。

○君子は安にして危を忘れず、存にして亡を忘れず、治にして乱を忘れず。

○君子は幾《き》（ものごとの起こる兆《きざし》）を見て作《た》ち、日を終うるを俟《ま》たず。……君子は微《び》を知りて彰《しょう》を知り、柔を知りて剛を知る。万夫の望むところなり。

○苟《いやし》くもその人に非《あら》ざれば（立派な人物がいるのでなければ）、道は虚《むな》しくは行なわれず（道だけで実現することはない）。

○将《まさ》に叛《そむ》かんとする者《もの》は、その辞《ことば》慙《はずか》しげなり。中心《こころ》に疑う者は、その辞《ことば》枝《わかれ》（分）る。吉人の辞は寡《すく》なく、躁《さわがしきひと》人の辞は多し。

○窮理尽性《きゆうりじんせい》（道理をきわめ、わが本性を発揮しつくし）、以て〔天〕命《めい》に至る。（「説卦伝」）

○天の道を立てて陰と陽と曰《い》い、地の道を立てて剛と柔と曰い、人の道を立てて仁と義と曰う。（「説卦伝」）

○天地の道を財成《ざいせい》し、天地の宜《ぎ》を輔相《ほそう》し、以て民を左右《たす》く。（泰・「大象」）

付録2

うらないのことば・六十四卦

＊「卦辞」だけをさがしやすい形で配列しなおした。「II――うらないとしての易」（六九ページ以下）によって卦を画し、相当するところを参照して判断するとよい。

＊よく出てくることばを説明しておく。「亨（通）る」とは、障害がなく、スムーズにゆくこと。「貞（正）しい」とは本来のあり方を守りつづけて妄動しないこと。「どこかへ出かける（往く所あり）」とは、旅行・事業の開始・出発など。「大川を渉（渡）る」とは、大事の決行・決断など。「立派な人に面会（大人に見《まみ》ゆ）」とは、年長者などに会って相談すること。

乾坤

䷀ 乾《けん》（剛健・天・父・男）

元《おお》いに亨《とお》（通）る。貞《ただ》（正）しくしていると利《よろ》しい。

䷁ 坤《こん》（柔順・地・母・女）

元いに亨る。牝馬《めすうま》のような（柔順な）貞しさでいると利しい。君子がどこかに行く場合は、初めは迷うが、後には落ちつく所が得られる。西南の方向では友を得るが、東北では友を失う。安らかに貞しくしていると吉。

陽爻一本のもの

䷗ 復《ふく》〔反復・復帰〕

亨《とお》る。出入りについて疾《さわり》（害）なし。朋《とも》（友）来たり咎《とがめ》なし。その道を反復《くりかえ》して七日で復《かえ》って来る。どこかへ行くのには利《よろ》しい。

䷆ 師〔軍隊・戦争・憂い〕

貞《ただ》しく、丈人《じょうにん》（立派な将軍）ならば、吉であって咎なし。

䷎ 謙《けん》〔謙遜〕

亨る。君子には有終の美がある。

䷏ 豫《よ》〔安楽〕

諸侯を封建し、軍隊を進めるのには利しい。

䷇ 比《ひ》〔親しみ・楽しさ〕

吉。筮《ぜい》に原《たず》ねるのに元《おお》いに永《なが》く貞しく、咎なし。寧《やす》（安）からざるもの方《まさ》に来らん。後《おく》れたる夫《もの》は凶。（親しさになれているとよくない）

䷖ 剥《はく》〔剥《は》ぎ取る〕

どこかへ行くのには利しくない。

陰爻⚋一本のもの

䷫ 姤《こう》〔遇う〕

女性の勢いが壮《さかん》である。そこで女《よめ》を娶《めと》ってはならぬ。

䷌ 同人《どうじん》〔和同・人を集める〕

曠野《こうや》までも（ひろく）行なえば亨《とお》る。大川を渉《わた》るのに利《よろ》しい。君子の貞《ただ》しさでいると利しい。

䷉ 履《り》〔ふみ行なう〕

虎の尾を履《ふ》みつけても、人を咥《か》まず。亨る。（危険にあっても、何とかきりぬける）

䷈ 小畜《しょうちく》〔小なるたくわえ〕

亨る。密雲ありながら雨ふらず、わが西の郊《かなた》による。（よいことが来そうで来ない）

䷍ 大有《たいゆう》〔大なる物持ち〕

元《おお》いに亨る。

䷪ 夬《かい》〔決断〕

王の朝廷で（悪人を）糾断する。孚《まこと》があって号《さけん》でも危険なこともある。宣告は領邑《われ》から行なうが、武力で解決しようとするのは利しくない。どこかに行くのには利しい。

陽爻　二本のもの

臨《りん》〔監臨〕
元《おお》いに亨《とお》る。貞《ただ》しくしていると利《よろ》しい。八月に至ると凶あり。

明夷《めいい》〔傷つく・光明が蔽われる〕
苦しみにたえて貞しくしていると利しい。

震《しん》〔震動・威令・雷・長男〕
亨る。雷はばりばりと恐ろしいが、その後では「あはは」と笑う。雷は百里四方を驚かすが、祭儀の匕《さじ》と鬯《さけ》（香料酒）をとり落すことはない（変わりなく祭を主宰する）。

屯《ちゅん》〔芽生え・困難〕
元いに亨る。貞しくしていると利しい。が、どこかへ出かけることをしてはならぬ。諸侯を封建するには利しい。

頤《い》〔養う・口〕
貞しくしていると吉。養いをよく観察してから、自分で口のなかに入るものを求める。

升《しょう》〔登りすすむ〕
元いに亨る。立派な人に面会すれば心配がない。南方に征《ゆ》けば吉。

解《かい》〔解放〕

西南の方向が利《よろ》しい。〔解き放されて〕進んで行くところがなければ、もとに戻っているのが吉。目ざして行くところがあれば、早くするのが吉。

習坎《しゅうかん》〔重なる険《けわ》しさ・おとし穴・水・中男〕

孚《まこと》〔誠〕があれば、その心の思いが亨《とお》〔通〕る。進んでゆくとよいこともある。

蒙《もう》〔暗昧・愚〕

亨る。自分から童蒙《こども》に〔教えようと〕求めたのでなく、童蒙の方から自分に求めてきた。初めて筮《ぜい》する時は〔吉凶を〕教えるが、再三する時は〔筮の神聖を〕瀆《けが》すことになり、瀆したのでは教えない。貞《ただ》しくしていると利しい。

小過《しょうか》〔小なる超過〕

亨る。貞しくしていると利しい。小事にはよいが、大事にはよくない。飛び去る鳥が鳴き声を残していく。上るのは適切でないが、下るのは適切で、大吉。

蹇《けん》〔行きなやむ〕

西南の方向には利しいが、東北の方向には利しくない。立派な人に面会するのは利しい。貞しくしていると吉。

䷳

艮《ごん》〔止まる・そむく・山・少男〕
その背なかに止まって、その体は見えず、その庭に行ってもその人には会えない。咎《とがめ》はない。

䷬

萃《すい》〔集まる〕
王が霊廟《おたまや》に行って祭る（祖霊を集め、人々を集める）。立派な人に面会するのに利《よろ》しい。亨《とお》る。貞《ただ》しくしていると利しい。祭りに大きい牲《いけにえ》（牛）を用いれば吉。どこかに行くのに利しい。

䷢

晋《しん》〔進みのびる〕
康侯《こうこう》が、そこで、天子からたくさんの馬を賜わり、昼間に三度も引見された。（康侯―周の武王の弟、衛に封建された）

䷓

観《かん》〔見る・示す〕
盥《てをあら》いてなお（神に）薦《すすめ》ものをせず（潔斎してよく慎しむ）。孚《まこと》（誠）ありて顒若《ぎょうじゃく》（尊厳）。

陰爻⚋ 二本のもの

䷠ 遯《とん》〔隠退・逃避〕
亨《とお》る。小事については貞《ただ》しくしていると利《よろ》しい。

䷅ 訟《しょう》〔訴訟・争〕
孚《まこと》（誠）あるも窒《ふさ》がり惕《おそ》れる（八方塞《ふさ》がり）。終《おしと》おすのは凶。立派な人に面会するのは利しいが、大川を渉《わた》るのは利しくない。

䷸ 巽《そん》〔入る・従順・木・長女〕
少し亨る。どこかに行くのには利しい。立派な人に会うのも利しい。

䷱ 鼎《てい》〔かなえ（ものを煮る器）〕
元《おお》いなる吉。亨る。

䷛ 大過《たいか》〔大なる超過〕
棟《むなぎ》がたわんでいる。どこかへ行くのには利しい。亨（通）る。

䷘ 无《む》妄《ぼう》〔偽りなし〕
元いに亨（通）る。貞しくしていると利しい。正しくなければ災禍《わざわい》がある。どこかへ行くのには利しくない。

䷤ 家人《かじん》〔家道〕

婦人が貞《ただ》しくしていると利《よろ》しい。

䷝ 離《り》〔くっつく・火・中女〕

貞しくしていると利しい。亨《とお》る。牝牛《めうし》を畜《か》うときは（柔順の徳を養えば）吉。

䷰ 革《かく》〔変革・革命〕

己《つちのと》の日であれば、孚《まこと》（誠）があり、元《おお》いに亨って、貞しくしていると利しい。悔《くい》もなくなる。

䷼ 中孚《ちゅうふ》〔内なる誠心〕

豚や魚のような軽いお供えでも吉。大川を渉《わた》るのに利しく、貞しくしていると利しい。

䷥ 睽《けい》〔そむく〕

小事の場合は吉。

䷹ 兌《だ》〔悦ぶ・沢・少女〕

亨る。貞しくしていると利しい。

䷙ 大畜《だいちく》〔大なる蓄《たくわ》え・大なる停止〕

貞《ただ》しくしていると利《よろ》しい。家でむだ食いをしなくて（出仕して）吉。大川を渉るのに利しい。

䷄ 需《じゅ》〔待つ・進まず〕
孚《まこと》（誠）ありて元《おお》いに亨《とお》る。貞しければ吉。大川を渉るのに利しい。

䷡ 大壮《たいそう》〔盛大・強壮〕
貞しくしていると利しい。

三陰三陽のもの（その一、初爻が陽⚊）

䷊ 泰《たい》〔安泰・泰平〕
小なるもの往《さ》（去）りて大なるもの来たる。吉にして亨る。

䷵ 帰妹《きまい》〔嫁入り〕
おしかけてゆくのは凶。利しいことは何もない。

䷻ 節《せつ》〔節制・止まる〕
亨る。節度を守るのに苦しむようなら、貞しくしておれない。

䷨ 損《そん》〔減損〕
孚があれば、元いに吉で咎《とがめ》もなく、貞しくしていける。どこかへ行くのには利しい。

（減らしたうえで）何を用いるかといえば、二皿《ふたさら》のお供えだけで祭ってよい（まごころさえあれば）。

䷶ 豊《ほう》〔盛大・充盈〕

亨《とお》る。王者こそここに至る。心配することはない。日中がよい。

䷾ 既済《きせい》〔完成〕

少しく亨る。貞《ただ》しくしていると利《よろ》しい。初めは吉であるが終わりは乱れる。

䷕ 賁《ひ》〔飾り〕

亨る。どこかへ行くのには少し利しい。

䷐ 随《ずい》〔従う〕

元《おお》いに亨る。貞くしていると利しい。咎なし。

䷔ 噬嗑《ぜいごう》〔噛み合わす・刑罰〕

亨る。刑罰を行なうのに利しい（悪い邪魔ものを除ける）。

䷩ 益《えき》〔増益〕

どこかへ行くのには利しい。大川を渉《わた》るのにも利しい。

三陰三陽のもの（その二、初爻が陰⚋）

䷋ 否《ひ》〔閉塞《ゆきづまり》・暗黒〕

人にあらず（人道にそむく）。君子の貞《ただ》しさでいても利《よろ》しからず。大なるもの往《さ》（去）りて小なるもの来る。

䷴ 漸《ぜん》〔進む〕

女が帰《とつ》ぐのに吉。貞しくしていると利しい。

䷷ 旅《りょ》〔たび〕

少し亨《とお》る。旅先で貞しくしていると吉。

䷞ 咸《かん》〔感応・夫婦〕

亨る。貞しくしていると利しい。女《よめ》を娶《めと》るときは吉。

䷺ 渙《かん》〔離散・散り解ける〕

亨る。王が霊廟《おたまや》に行って祭る。大川を渉《わた》るのに利しい。貞しくしていると利しい。

䷿ 未《び》済《せい》〔未完成〕

亨る。小さい狐《きつね》が川を渡り終わろうとして、その尾を濡らす（もう少しのところで完成できない）。利しいことは何もない。

䷮

困《こん》〔窮困《くるしむ》〕

亨《とお》る。貞《ただ》しくして立派な人であれば、吉で咎《とがめ》がない。（そうでなければ）弁明しても信じられない。

䷑

蠱《こ》〔事業・惑乱〕

元《おお》いに亨る。大川を渉《わた》るに利《よろ》しい。甲《きのえ》の日に先立つこと三日、甲の日に後《おく》れること三日がよい。

䷯

井《せい》〔井戸・民を養う〕

邑《まち》を改めても井戸は変わらない。失うこともなく得ることもない。そこに往来《ゆきき》するのに井井《せいせい》として作法がある。ほとんど届こうとしながら、つるべ縄がのびないうちにつるべが壊れた。凶。

䷟

恒《こう》〔恒常・恒久〕

亨る。咎なし。貞しくしていると利しい。どこかへ行くのには利しい。

原本あとがき

このごろは易のブームだという。もちろん易のうらないをさしているのである。それがどういうところに原因があるのか、そのことは現代社会の批評家にまかせて、私がここで話したかったのは、易がうらないのほかに中国的な思想を代表しているということであった。もちろん、うらないとその思想性とは、離れて別べつにあるのではない。両者が不思議なからみ合いを見せているところに、易の面白さがあるともいえる。だから、ここでも、易のうらない方について最も正統的な方法を示して、興味のある読者には、進んで自分でうらなってみることもできるようにと配慮した。

ただ、易の思想性を説く段になると、うらないを主とする立場では、どうしても神秘的な奇妙な論になって、非科学的な解釈に落ち込んでしまう。明治の易学者として有名な根本通明が、易の不易思想を強調して天皇万世一系の大道を説くものだとしたり、革の卦は革命を恐れて戒めたものだと説いたりしたのは、その例である。そこで、易の思想を説くには、うらないの神秘とは離れた客観的科学的な立場で、冷静に易の全体を把握する必要がある。伊藤仁斎が、「卜筮の説は世俗の多く悦ぶところであるが、義理（思想）にははなはだ害がある」といって、義理の書としての性格を強調するために卜筮を軽視したのは、王弼や程伊川の流れをうけるものであるが、思想家として正当であった。

結局、私の易の話も義理の方が重い。いずれかといえば、うらないを義理の方に従属させて、うらないから義理へという方向で説くことになった。しかし、『易』の構成からその成立の歴史をも含めて、易の全体はこれでほぼ説き終えたかと思う。易の思想として説くべきことは、なお残っていないわけではないが、重要な点は以上で尽くされているといってよかろう。

最後に、本文中で明らかにしたものをも含めて、いくつかの参考書をあげておこう。

易の成立史

内藤虎次郎「易疑」（筑摩書房・『内藤湖南全集』第七巻）
津田左右吉「易の研究」（岩波書店・『津田左右吉全集』第十六巻、儒教の研究一の第二節）
武内義雄『易と中庸の研究』（岩波書店）

易学史

鈴木由次郎『漢易研究』（明徳出版社）
今井宇三郎『宋代易学の研究』（明治図書出版）
戸田豊三郎『易経注釈史綱』（風間書房）

占筮法

海保青陵『周易古占法』
新井白蛾『易学小筌』
加藤大岳『易学大講座』第一巻

概説

渡辺千春『周易原論』
鈴木由次郎『周易』（弘文堂・アテネ新書）
本田　済『易学』（平楽寺書店・サーラ叢書）
翻訳解読
公田連太郎『易経講話』（明徳出版社）
本田　済『易』（朝日新聞社・中国古典選）
高田真治・後藤基巳『易経』（岩波文庫）
赤塚　忠『易経（抄）』（平凡社・中国古典文学大系1）

本書は一九七二年十二月刊行の講談社現代新書『易の話』を底本とした。

金谷　治（かなや　おさむ）

1920年，三重県に生まれる。東北帝国大学法文学部支那哲学科卒業。専攻は中国思想。文学博士。東北大学文学部教授を経て，東北大学名誉教授，追手門学院大学名誉教授。著書に『秦漢思想史研究』『管子の研究』，訳注書に『論語』『孫子』『荘子』『荻生徂徠集』，講談社学術文庫に『淮南子の思想』『老子』『孔子』などがある。2006年没。

講談社学術文庫

定価はカバーに表示してあります。

易《えき》の話《はなし》

金《かな》谷《や》　治《おさむ》

2003年９月10日　第１刷発行
2020年８月４日　第20刷発行

発行者　渡瀬昌彦
発行所　株式会社講談社
東京都文京区音羽 2-12-21 〒112-8001
電話　編集（03）5395-3512
販売（03）5395-4415
業務（03）5395-3615
装　幀　蟹江征治／山岸義明デザイン室
印　刷　株式会社廣済堂
製　本　株式会社国宝社

ISBN4-06-159616-0

「講談社学術文庫」の刊行に当たって

これは、学術をポケットに入れることをモットーとして生まれた文庫である。学術は少年の心を養い、成年の心を満たす。その学術がポケットにはいる形で、万人のものになることは、生涯教育をうたう現代の理想である。

こうした考え方は、学術を巨大な城のように見る世間の常識に反するかもしれない。また、一部の人たちからは、学術の権威をおとすものと非難されるかもしれない。しかし、それはいずれも学術の新しい在り方を解しないものといわざるをえない。

学術は、まず魔術への挑戦から始まった。やがて、いわゆる常識をつぎつぎに改めていった。学術の権威は、幾百年、幾千年にわたる、苦しい戦いの成果である。こうしてきずきあげられた城が、一見して近づきがたいものにうつるのは、そのためである。しかし、学術の権威を、その形の上だけで判断してはならない。その生成のあとをかえりみれば、その根は常に人々の生活の中にあった。学術が大きな力たりうるのはそのためであって、生活をはなれた学術は、どこにもない。

開かれた社会といわれる現代にとって、これはまったく自明である。生活と学術との間に、もし距離があるとすれば、何をおいてもこれを埋めねばならない。もしこの距離が形の上の迷信からきているとすれば、その迷信をうち破らねばならぬ。

学術文庫は、内外の迷信を打破し、学術のために新しい天地をひらく意図をもって生まれた。文庫という小さい形と、学術という壮大な城とが、完全に両立するためには、なおいくらかの時を必要とするであろう。しかし、学術をポケットにした社会が、人間の生活にとってより豊かな社会であることは、たしかである。そうした社会の実現のために、文庫の世界に新しいジャンルを加えることができれば幸いである。

一九七六年六月

野間省一

哲学・思想

言志四録《げんししろく》（一）〜（四）
佐藤一斎著／川上正光全訳注

江戸時代後期の林家の儒者、佐藤一斎の語録集。変革期における人間の生き方に関する問題意識で貫かれた本書は、今日なお、精神修養の糧として、また処世の心得として得難き書と言えよう。（全四巻）

274〜277

講孟劄記《こうもうさつき》（上）（下）
吉田松陰《しょういん》著／近藤啓吾全訳注

本書は、下田渡海の挙に失敗した松陰が、幽囚の生活の中にあって同囚らに講義した『孟子』各章に対する彼自身の批判感想の筆録で、その片言隻句のうちに、変革者松陰の激烈な熱情が畳み込まれている。

442・443

論語新釈
宇野哲人《うのてつと》著（序文・宇野精一）

「宇宙第一の書」といわれる『論語』は、人生の知恵を滋味深く語ったイデオロギーに左右されない不滅の古典として、今なお光芒を放つ。本書は、中国哲学の権威が詳述した、近代注釈の先駆書である。

451

論語物語
下村湖人《こじん》著（解説・永杉喜輔）

『論語』を心の書として、物語に構成した書。人間味あふれる孔子と弟子たちが現代に躍り出す光景が、みずみずしい現代語で描かれている。『次郎物語』の著者の筆による、親しみやすい評判の名著である。

493

啓発録《けいはつろく》 付 書簡・意見書・漢詩
橋本左内《さない》著／伴　五十嗣郎全訳注

明治維新史を彩る橋本左内が、若くして著した『啓発録』は、自己規範・自己鞭撻の書であり、彼の思想や行動の根幹を成す。書簡・意見書は、世界の中の日本を自覚した気宇壮大な思想表白の雄篇である。

568

孔子・老子・釈迦「三聖会談」
諸橋轍次著

孔子・老子・釈迦の三聖が一堂に会し、自らの哲学を語り合うという奇想天外な空想鼎談。三聖の世界観や人間観、また根本思想や実際行動が、比較対照的に鮮やかに語られる。東洋思想のユニークな入門書。

574

プラトン著／三嶋輝夫訳
プラトン対話篇ラケス 勇気について
プラトン初期対話篇の代表的作品、新訳成る。「勇気とは何か」「言と行の関係はどうあるべきか」を主題に展開される問答。ソクラテスの徳の定義探求の好例とされ、構成美にもすぐれたプラトン初学者必読の書。
1276

金谷　治著
老子 無知無欲のすすめ
無知無欲をすすめる中国古典の代表作『老子』。無為自然を尊ぶ老子は、人間が作りあげた文化や文明に懐疑を抱き、鋭く批判する。「文化とは何か」というその本質を探り、自然思想を説く老子を論じた意欲作。
1278

浅野裕一著
孫子
人間界の洞察の書『孫子』を最古史料で精読。春秋時代末期に書かれ、兵法の書、人間への鋭い洞察の書として名高い『孫子』を新発見の前漢末の竹簡文をもとに解読。組織の統率法や人間心理の綾など詳細に説く。
1283

鷲田清一著
現象学の視線 分散する理性
生とは、経験とは、現象学的思考とは何か。〈経験〉を運動として捉えたフッサール、変換として捉えたメルロ＝ポンティ。現代思想の出発点となった現象学の核心を読み解き、新たなる可能性をも展望した好著。
1302

廣川洋一著
ソクラテス以前の哲学者
ヘシオドス、タレス、ヘラクレイトス……。ソクラテス以前の哲学は、さまざまな哲学者の個性的な思想に彩られていた。今日に伝わる「断片」の真正の言葉のうちに、多彩な哲学思想の真実の姿を明らかにする。
1306

上山安敏《うえやまやすとし》著
魔女とキリスト教 ヨーロッパ学再考
魔女の歴史を通じてさぐる西洋精神史の底流。魔女像の変遷、異端審問、魔女狩りと魔女裁判、ルネサンス魔術、ナチスの魔女観……。キリスト教との関わりを軸に、興味深い魔女の歴史を通観した画期的な魔女論。
1311

大学

宇野哲人全訳注（解説・宇野精一）

修己治人、すなわち自己を修練してはじめてよく人を治め得る、とする儒教の政治目的を最もよく組織的に論述した経典。修身・斉家・治国・平天下は真の学問の修得を志す者の熟読玩味すべき哲理である。

594

中庸《ちゅうよう》

宇野哲人全訳注（解説・宇野精一）

人間の本性は天が授けたもので、それを〝誠〟で表し、「誠とは天の道なり、これを誠にするのは人の道なり」という倫理道徳の主眼を、首尾一貫、渾然たる哲学体系にまで高め得た、儒教第一の経典の注釈書。

595

五輪書

宮本武蔵著／鎌田茂雄全訳注

一切の甘えを切り捨て、ひたすら剣に生きた二天一流の達人宮本武蔵。彼の遺した『五輪書』は、時代を超えて我々に真の生き方を教える。絶対不敗の武芸者武蔵の兵法の奥儀と人生観を原文をもとに平易に解説。

735

菜根譚《さいこんたん》

洪自誠《こうじせい》著／中村璋八・石川力山訳注

儒仏道の三教を修めた洪自誠の人生指南の書。菜根とは粗末な食事のこと。そういう逆境に耐えてこそこの世を生きぬく真の意味がある。人生の円熟した境地、老獪極まりない処世の極意などを縦横に説く。

742

西洋哲学史

今道友信《いまみちとものぶ》著

西洋思想の流れを人物中心に描いた哲学通史。古代ギリシアに始まり、中世・近世・近代・現代に至る西洋の哲人たちは、人間の魂の世話の仕方をいかに主張したか。初心者のために書き下ろした興味深い入門書。

787

影の現象学

河合隼雄《かわいはやお》著（解説・遠藤周作）

意識を裏切る無意識の深層をユング心理学の視点から掘り下げ、新しい光を投げかける。心の影の自覚は人間関係の問題を考える上でも重要である。心の影の世界を鋭く探究した、いま必読の深遠なる名著。

811

老荘と仏教
森 三樹三郎著（解説・蜂屋邦夫）

中国は外来思想＝仏教をいかに吸収したのか。西域より移入以来二千年の歴史をもつ中国仏教。仏教根本義「空」の思想の、老荘の「無」を通した理解から禅仏教の確立まで、中印思想のダイナミックな交流を追究。

1613

易の話 『易経』と中国人の思考
金谷 治著

大文字版

占い書にして思想の書『易経』を易しく解説。儒教の重要な経典として「五経」の筆頭におかれた『易経』。二千余年来の具体的な占い方を解説しつつ「易」と歩んだ中国人の自然・人生・運命観を探る大文字本。

1616

「いき」の構造
九鬼周造著／藤田正勝全注釈

「粋」の本質を解明した名著をやさしく読む。いきとは何か？ ヨーロッパ現象学を下敷に歌舞伎、清元、浮世絵等芸術各ジャンルを渉猟、その独特の美意識を追究。近代日本の独創的哲学に懇切な注・解説を施す。

1627

アリストテレス
今道友信著

「万学の祖」の人間像と細緻な思想の精髄。人間界、自然界から神に至るまで、森羅万象の悉くを知の対象とした不朽の哲人アリストテレス。その人物と生涯、壮大な学問を、碩学が蘊蓄と情熱を傾けて活写する。

1657

孟子
貝塚茂樹著

孟母三遷で名高い孟子の生涯と思想の真髄。戦国七雄が対立した前四世紀、小国鄒《すう》に生まれ諸国を巡って仁政を説いた孟子。井田制など理想国家の構想や、あるべき君子像の提言を碩学が平易に解説する。

1676

諸子百家
浅野裕一著

春秋・戦国を彩る思想家たちの才智と戦略。戦乱の世に自らの構想を実現すべく諸国を遊説した諸子百家。利己と快楽優先を説いた楊朱、精緻な論理で存在の実体を問う公孫龍から老子、孔子までその実像に迫る。

1684

中村　元著
東洋のこころ
東洋人の心性を育み、支えてきたものとは？　人心の荒廃が叫ばれる今こそ、我々の精神生活の基盤＝東洋のこころを省みることが肝要である。比較思想的な観点を踏まえ、碩学が多角的に説く東洋の伝統的思想。
1741

M・アウレリウス著／鈴木照雄訳
マルクス・アウレリウス「自省録」
ローマ皇帝マルクス・アウレリウスはストア派の哲学者でもあった。合理的存在論に与する精神構造を持つ一方、文章全体に漂う硬質の色を帯びる無常観。哲人皇帝マルクスの心の軋みに耳を澄ます。
1749

福沢諭吉著／伊藤正雄校注
学問のすゝめ
「天は人の上に人を造らず人の下に人を造らず」近代日本を代表する思想家が本書を通してめざした精神革命。自由平等・独立自尊の思想、実学の奨励を平易な文章で説く不朽の名著に丁寧な語釈・解説を付す。
1759

西田幾多郎著／小坂国継全注釈
善の研究　全注釈
日本最初の本格的な哲学書『善の研究』。西洋思想と厳しく対決し、独自の哲学体系を構築した西田幾多郎。人間の意識を深く掘り下げ、心の最深部にある真実の心は何かを追究した代表作を嚙み砕き読み解く。
1781

中沢新一著
森のバロック
生物学・民俗学から宗教学まであらゆる不思議に挑んだ南方熊楠。森の中に、粘菌の生態の奥に、直感される「流れるもの」とは？　南方マンダラとは？　後継者を持たない思想が孕む怪物的子供の正体を探る。
1791

長尾龍一著
法哲学入門
知の愛である哲学が非常識の世界に属するのに対し、法学は常識の世界に属する。両者の出合うところに立ち上がる人間存在の根源的問題。正義の根拠、人間性と秩序、法と実力など、法哲学の論点を易しく解説。
1801